Carry Slee

Bikkels

Met tekeningen van Roelof van der Schans

Een uitgave van de Stichting Collectieve Propaganda van het Nederlandse Boek ter gelegenheid van de Kinderboekenweek 1999

Voor Elles, Nadja en Masja

Bikkels werd door Uitgeverij Van Holkema & Warendorf
geproduceerd voor de Stichting Collectieve Propaganda van het
Nederlandse Boek in het kader van de Kinderboekenweek 1999.

Copyright © 1999
Tekst: *Carry Slee*
Illustraties: *Roelof van der Schans*
Vormgeving: *Petra Gerritsen/Nancy de Brouwer*
Productie: *Uitgeverij Van Holkema & Warendorf*
NUGI 221
ISBN 90 7433 649 3

Dit boek is gedrukt op 100% chloorvrij geproduceerd papier.

BIKKELS

Alsjeblieft, dit boek krijg je cadeau
van je boekverkoper

Inhoud

De voorstelling

Het is gelukt. Weken heeft groep zeven aan het toneelstuk gewerkt en nu is het voorbij. Het doek valt. De toneelspelers kijken elkaar aan. Ze hoeven zich niet af te vragen of de leerlingen van de Toermalijn hun spel mooi vonden. Door de aula dendert een uitbundig applaus. Zodra het doek opengaat, beginnen de spelers te buigen. Wat hebben ze een succes! Zelfs als Dorus het gordijn dichttrekt, gaat het applaus door.

'Murat! Murat!' wordt er geroepen. Opnieuw gaat het doek open. Murat doet een paar stappen naar voren en buigt. Hij wordt verlegen, vooral als er meiden uit groep acht op hun vingers fluiten.

'Het ging goed,' zegt Katja als ze naar de klas lopen. 'Ik had geluk, ik zat helemaal vooraan.'

Dat wist Murat al. Hij zag haar stralen toen hij opkwam. Daardoor speelde hij zo goed. Maar dat vertelt hij niet.

'Knap, hoor.' Katja raakt even Murats hand aan. 'Ik heb het al tien keer gezien en toch moest ik weer bijna huilen. Het zag er zo zielig uit. Jij hebt echt talent.'

Murat weet niet zo goed wat hij moet zeggen. Dat heeft hij de laatste tijd steeds. Hij is verliefd op Katja, maar hij durft geen verkering aan haar te vragen.

'Je was in topvorm!' Guido geeft Murat een klap op zijn schouder.

'Bedankt,' zegt Murat.

'Jullie waren allemaal keigoed.' Meester Sjoerd gaat trots op zijn stoel zitten.

'Maar Murat was het beste,' roept iemand uit de klas.

'Murat is nu eenmaal een natuurtalent,' zegt meester Sjoerd. 'Daar horen we later nog van.'

'Nou nou, zo kan-ie wel weer,' lacht Murat.

'Mijn complimenten, jongens. Dit was een prachtige maandafsluiting. Jullie hebben het thema racisme goed uitgewerkt. Niemand kon eromheen. De zaal heeft ademloos gekeken. Knap verzonnen.'

Dorus protesteert. 'Verzonnen? Was dat maar waar! Dit gebeurt echt.'

'Toch niet in deze klas, hè?' vraagt de meester.

'Nee, maar wel vlak bij school.' Murat krijgt weer dat machteloze gevoel als hij eraan denkt. 'Dat snoep-winkeltje kent u toch wel, mees?' vraagt hij. 'Daar is een nieuwe eigenaar gekomen. En die discrimineert.'

'Ja,' zegt Paul. 'Als Mohamed of Murat of Jennifer binnenkomt, schuift hij gauw de glasplaat over het snoep heen. Alsof zij pikken.'

'Is dat echt zo?' vraagt meester Sjoerd. 'Je mag iemand niet klakkeloos van zoiets beschuldigen. Het kan ook toeval zijn.'

'Zie je nou wel,' zegt Guido. 'We worden weer niet geloofd. Het is zeker ook toeval dat hij de witte klanten altijd laat voorgaan.'

'Dat moeten jullie niet goedvinden,' zegt de meester.

'Inderdaad,' zegt Guido. 'De volgende keer gaat er een steen door zijn ruit.'

De klas moet lachen. Echt iets voor Guido.

'Zo los je dat niet op,' zegt de meester. 'Dat weet je zelf ook wel. Met geweld kom je nergens. Je moet er iets van zeggen.'

'Alsof dat zo gemakkelijk is,' zegt Christien. 'U heeft die man nog nooit gezien. Je hebt zo ruzie met hem.'

'Dat moet je voorkomen,' zegt de meester. 'Je moet heel beleefd maar duidelijk zijn. Jammer dat ik dit niet eerder wist, dan had ik hem vanmiddag uit-genodigd.'

'Ik weet niet of ik dan nog had kunnen spelen,' zegt Murat.

'In elk geval heeft jullie spel wel indruk gemaakt. Dat merkte je aan de reacties in de zaal. Ik heb ze nog nooit zo geboeid zien kijken. Zelfs groep acht was stil. Het decor paste er ook goed bij. Knap werk, Katja.'

'De rekening komt nog wel,' zegt Katja.

'Ik ben blij dat je weer grapjes maakt,' zegt de mees-ter.

Katja moet lachen. 'Wat was ik kwaad, hè? Ik vind het ook zo flauw van mijn moeder. Waarom mag ik nou geen hond. Ik zorg er toch zeker zelf voor.'

'Word nu niet weer boos,' waarschuwt meester Sjoerd.

'Je moet gewoon doorzeuren,' zegt Jennifer. 'Dat heb ik ook gedaan en toen mocht het.'

Guido weet iets veel beters. 'Waarom loop je niet weg?'

'Welja,' zegt Dorus. 'Je kan je moeder ook met een mes bedreigen.'

'Of gijzelen,' zegt Murat.

'Heeft iedereen zijn huiswerk genoteerd?' vraagt meester Sjoerd als de bel gaat.

'Wegens succes hebben we morgen huiswerkvrij,' zegt Guido.

'Ja meester, dat is tof! Bedankt, hoor!' roepen ze vanuit de klas.

'Nou, vooruit dan maar,' zegt de meester. 'En nu wegwezen, voordat ik spijt krijg.'

Ze springen overeind.

'Heb je een paar bodyguards?' vraagt meester Sjoerd als Murat bij de deur staat. 'Na dit succes kunnen we je niet meer alleen door de school laten lopen.'

'Kom maar, wij slaan de fans wel van je af.' Katja en Jennifer gaan allebei aan een kant van Murat staan. Katja laat haar lange nagels zien. 'Als ze dichterbij komen, krijgen ze spijt.'

'Tot morgen.' De meester houdt lachend de deur voor hen open.

Als ze op het schoolplein staan, kijkt Murat op zijn horloge. Zijn zusje is vandaag later uit. Hij heeft nog een half uur voordat hij haar van school moet halen. Hij besluit toch maar meteen te vertrekken, dan kan hij nog even in haar klas kijken. Dat vindt Zeliha altijd leuk. Murat ziet verrast dat zijn vrienden ook hun fiets pakken. Dat is ook zo, vandaag hebben ze allemaal een clubje. Gezellig, denkt Murat. Dan hoef ik dat hele eind niet alleen te fietsen.

Als ze op de Meerweg rijden, trapt Dorus op zijn rem. 'Valt jullie iets op?'

'Ja, dat kun je wel zeggen,' lacht Guido die door Dorus' plotselinge stop bijna tegen een auto knalt.

Dorus houdt zijn vinger voor zijn mond. 'Luister…' Hij kijkt zijn vrienden aan. 'Ik bedoel dat gejank.'

'Dat is een hond.' Jennifer wil doorrijden, maar Dorus moet precies weten wat er aan de hand is.

'Het komt daar vandaan.' Hij zet zijn fiets tegen een boom en loopt een pad op.

De anderen volgen hem.

'Het komt uit de achtertuin.' Murat gaat een gangetje in.

'Dat beestje zit in een hok!'

Als de hond de kinderen ziet, kruipt hij angstig in een hoek.

'Wat is hij mager,' zegt Katja. 'Je ziet zijn ribbenkast.' Murat wijst naar de veel te lange nagels. 'Dat beest laten ze nooit uit. En zijn hals is ook kapot.'

'Dat komt door die ketting,' zegt Guido. 'Dat ding snijdt in zijn vel.'

Ze kijken omhoog. In het huis van de buren wordt een bovenraam omhooggeschoven. Een vrouw steekt haar hoofd naar buiten. 'Van mij mogen jullie hem meenemen. Hebben jullie dat gejank gehoord? Zo gaat het nou de hele dag. Dat arme beest kan er niks aan doen, dat zit maar in dat hok. Je snapt niet waarom die mensen een hond nemen. Ze zijn er nooit, alleen 's avonds en dan tuigen ze dat dier nog af ook.'

'Typisch een geval van dierenmishandeling,' zegt Dorus als de vrouw weg is.

Guido kijkt naar de ketting. 'Die heb ik zo los.'

'Ja,' zegt Jennifer. 'We nemen hem gewoon mee. Dit is veel te zielig.'

Katja begint te stralen. Maar als ze naar Murat kijkt, betrekt haar gezicht. 'Dat wil jij niet, hè?'

'Ik ook niet,' zegt Dorus. 'Dat is strafbaar. Je mag niet zomaar een hond uit iemands tuin ontvoeren.'

'Moeten we soms wachten tot hij dood is?' vraagt Guido. 'Er staat niet eens water.'

'We kunnen de dierenbescherming bellen,' zegt Dorus. Jennifer weet niet of dat zo'n goed plan is. 'Dan brengen ze hem naar het asiel en komt hij weer in een hok.'

'Als ze hem opnemen,' zegt Murat. 'Hij is er wel erg aan toe. Ik denk dat ze hem laten inslapen.'

'Niks dierenbescherming,' zegt Katja verschrikt.

'Wat wil jij dan?' vraagt Dorus.

Murat vindt het een domme vraag. 'Wat zou Katja nou willen? Drie keer raden.'

Dorus snapt het al. 'Je wilt hem zelf houden.'

'Je mag toch geen hond?' vraagt Jennifer.

'Wel als hij geen huis heeft,' zegt Katja. 'Dat zei mijn moeder nog. Als er een zielige hond komt aanlopen, stuurt ze hem niet weg. Dat vindt ze iets anders.'

'Als dit niet zielig is…' Murat wijst naar de ogen van de hond. Ze staan heel opgefokt.

'Toch maar meenemen?' Guido kijkt Katja vragend aan.

Katja ziet dat Murat schrikt. 'Nee,' zegt ze.
Dat is nou echt Katja, denkt Murat. Het is geen won-
der dat iedereen haar graag mag. Jennifer zou allang
ja gezegd hebben, maar Katja weet dat hij moeilijk-

heden krijgt als zijn vader erachter komt dat ze een hond hebben gepikt. 'Ik vraag wel voor je aan die mensen of je hem mag hebben,' zegt Murat.

'Dacht je nou echt dat ze hun hond wegdoen?' vraagt Guido.

'Ik weet misschien een andere manier om hem te krijgen,' fluistert Dorus.

'Vertel op!'

Dorus wijst naar het raam van de buren. Ze snappen wat hij bedoelt. Het gaat niemand iets aan wat ze bespreken.

'Dag hondje, we komen je redden, hoor,' fluistert Katja.

Murat snapt niet hoe Katja het voor elkaar krijgt. De hond likt haar, terwijl hij zo schuw is.

Zodra het hek achter hen dichtvalt, begint het gejank opnieuw.

'We moeten zorgen dat ze hem uit zichzelf wegdoen,' zegt Dorus.

'Hoe wou je ze zover krijgen?' vraagt Guido.

'Tja,' zegt Dorus. 'Daar moet over worden nagedacht.'

'Laten we dan snel iets verzinnen.' Katja kan het gejank niet aanhoren.

Dorus schudt zijn hoofd. 'Dat doen we morgen. In vijf minuten kun je geen plan bedenken. Het moet een goed plan zijn, anders mislukt het toch.'

Daar is iedereen het mee eens.

'En ik heb geen zin om te laat bij drummen te komen.' Guido stapt op zijn fiets.

'Nee, hè,' zegt Katja. 'Mijn band is lek.'

Murat heeft pech dat hij zijn zusje moet halen. Hij had Katja maar wat graag naar de schildercursus gebracht. Maar hij kan Zeliha niet laten wachten. Hij is dol op zijn jongere zusje. Het is alleen jammer dat ze niet kan horen. Daarom zit ze op een speciale school. Meestal haalt zijn moeder haar op, maar die moet nog rust houden. Een paar dagen geleden is Medine geboren.

'Vanavond moet ik naar mijn oma,' moppert Katja. 'Dan kan ik zeker met de bus. Dat haat ik.'

'Ik wil je band wel plakken,' zegt Murat. 'Maar eerst moet ik Zeliha thuisbrengen.'

'Dat hoeft niet,' zegt Katja. 'Dat kan ik zelf ook wel.'

Stom, denkt Murat. Wie zegt er nou zoiets? Alsof meisjes geen band kunnen plakken. Voordat hij nog meer domme dingen gaat zeggen, stapt hij gauw op zijn fiets.

'Tot morgen.'

'Wacht even,' zegt Guido. 'We rijden nog een eindje met je mee.'

'Wie we?' vraagt Murat.

'Katja en ik natuurlijk.' Guido kijkt Katja aan. 'Ik fiets wel met twee fietsen.'

'Gaaf!' Katja zit al achterop.

Guido pakt Katja's fiets bij het stuur. 'Daar gaan we.' En hij rijdt de stoep af.

Katja slaat haar armen om Guido heen en drukt haar wang tegen zijn rug. Murat schrikt. Zou ze verliefd op Guido zijn?

De verrassing

Murat zit op het hek bij school. Er is nog niemand. Hij is ook zo vroeg. Dat komt doordat hij Zeliha naar school moest brengen. Murat verwacht zijn vrienden over een minuut of tien. Hij wil de tijd gebruiken om een plan te bedenken. Als hij indruk op Katja wil maken, moet hij toch met iets goeds komen. Gisteravond had hij geen tijd om na te denken. Doordat zijn moeder nog veel in bed ligt, moeten Hamide en Murat thuis helpen. Met die twee kleintjes is er heel wat te doen. En het meeste werk komt op Murat neer, want Hamide is pas acht jaar. Toen hij in bed lag, dacht hij maar aan één ding: Katja moet die hond krijgen. Hij zag haar lieve gezicht voor zich en toen ging het mis. In plaats van een plan kwam er een liefdesgedicht in zijn hoofd. Hij moest het opschrijven. Hij was nog van plan het haar te geven, maar dat gaat niet door. Toen hij het gedicht vanochtend overlas, schaamde hij zich. Hij heeft het gauw onder zijn matras verstopt.

Murat springt van het hek. Katja komt de hoek om. Jennifer, Guido en Dorus rijden vlak achter haar.

Katja begint meteen over het plan. 'Ik heb me suf gepiekerd, maar ik weet niks.'

Guido en Jennifer hebben ook geen idee hoe ze die mensen zover moeten krijgen.

'Ik hoor het al,' zegt Dorus. 'Ik ben dus de enige die iets bedacht heeft.'

'Dorus is onze redding!' Katja valt hem van blijdschap om zijn hals.

'Niet te enthousiast,' zegt Dorus. 'Misschien vinden jullie het niks.'

Ze weten wel beter. Dorus is niet iemand die zomaar met een vaag idee komt. Meestal heeft hij supergoeie plannen die al perfect zijn uitgewerkt.

'Vertel nou!' Ze kunnen bijna niet wachten.

Dorus schraapt zijn keel. 'Na lang nadenken ben ik tot de volgende conclusie gekomen.' Als een geroutineerde spreker kijkt hij de kring rond. 'De dierenbescherming is de enige instantie die het hun lastig kan maken.'

'Noem je dat een plan,' zegt Katja teleurgesteld.

Guido snapt ook niet waarom Dorus weer over de dierenbescherming begint. 'Dat hebben we gisteren toch al verworpen?'

'Mag ik misschien even uitpraten?' vraagt Dorus kalm.

Als het niet zo spannend was, zouden ze absoluut in de lach schieten.

'Wij gaan zelf optreden als dierenbescherming,' zegt Dorus.

'Nou ja…' Ze lachen hun vriend uit.

'Dacht je dat die mensen dat geloven als ze ons zien? Ik weet dat ik er behoorlijk wijs uitzie voor mijn leeftijd,' zegt Guido. 'Maar nou maak je het toch wel erg bont.'

'Ze hoeven ons niet te zien,' zegt Dorus. 'Ze krijgen alleen onze stem te horen. We bellen ze op.'

'Fantastisch,' zegt Murat. 'Gefeliciteerd. Je hebt weer iets briljants bedacht.'

'U ook gefeliciteerd.' Dorus geeft Murat een hand. 'U mag mijn plan uitvoeren.'

Ze moeten lachen om Murats verschrikte gezicht.

'Dit is je kans,' zegt Jennifer. 'Weet je nog dat wij vorige week een onvoldoende hadden voor rekenen, omdat we de sommen van jou hadden overgeschreven? Dat kun je nu goedmaken.'

'Nou, daar ben ik heel blij om,' lacht Murat.

'Je doet het toch wel, hè?' Katja kijkt Murat aan.

Voor jou doe ik alles. Murat zou het wel willen uitschreeuwen, maar gelukkig houdt hij zich in.

'Wacht even,' zegt Jennifer ineens. 'Hoe komen we aan hun telefoonnummer? We weten niet eens hoe ze heten.'

'Dat heb ik allang uitgezocht.' Dorus haalt een notitieboekje uit zijn zak. 'Familie Boendemaker, Achterpad 14. Telefoon 5149201.'

'Is dat alles wat je van hen weet?' vraagt Murat. 'Geboortedatum, beroep, geloof, politieke overtuiging, opleiding…'

'Ik had ook minstens een stamboom van de familie Boendemaker verwacht,' lacht Guido.

'Wanneer bellen we?' vraagt Jennifer.

'Vanavond,' zegt Dorus. 'Overdag is er niemand thuis.'

'Ik weet al helemaal hoe we het doen.' Guido doet

net of hij een telefoon in zijn hand heeft. 'Zo Boendemaker,' zegt hij met een enge stem. 'Sta je hond af
en gauw.'
'Ja, zo lukt het wel,' zegt Jennifer. 'En dan nog een
paar klikjes van een revolver door de telefoon.'
Lachend gaan ze de school binnen.

'Ik wou dat ik een baaldag had genomen.' Murat zegt
het een beetje te hard.
'Ik weet zeker dat jij er geen spijt van krijgt dat je
vandaag naar school bent gekomen,' zegt meester
Sjoerd.
'Hoezo?' vraagt Murat. 'Heb ik soms een goed cijfer
voor mijn dictee?'
'Het is een andere verrassing,' zegt de meester. 'In het
voorjaar komt er een toneelvoorstelling in de
schouwburg. De toneelgroep wordt samengesteld uit
leerlingen van verschillende scholen uit de stad. Elke
school mag een afgevaardigde uit groep zeven
sturen. Ik geef jullie allemaal een briefje. Daarop
mag je de naam schrijven van een klasgenoot die je
geschikt vindt.' En meester Sjoerd deelt de blaadjes
uit.
Murat weet niet wie hij moet kiezen. In de klas zitten
een heleboel kinderen die goed toneel kunnen spelen. Iedereen heeft zijn blaadje allang ingevuld als hij
nog zit te dubben. En dan neemt hij een besluit. De
naam die het eerst bij hem opkomt, wordt het.
Murat pakt zijn pen. Hij had het kunnen weten. Er is
maar één naam die in zijn hoofd zit: Katja.

De meester haalt de blaadjes op. Een voor een vouwt hij ze open. 'Murat, Murat… Murat…' Op het laatst worden ze er melig van. 'Klaar,' zegt Guido. 'Iedereen heeft Murat gekozen.'

'Je moet nog even geduld hebben,' zegt de meester. 'Ik heb nog één blaadje en daar staat… Katja.'

Iedereen kijkt Murats kant op.

'Ah, wat lief,' zegt Guido. 'Vind je Katja zo goed spelen?'

De klas moet lachen, want Katja kan helemaal niet goed toneelspelen. Murat weet niet hoe hij kijken moet. Had hij nou maar een andere naam ingevuld.

'Het is de enige naam die hij foutloos kan schrijven,' pest Jennifer.

'Jaloers?' vraagt Murat.

'Moet je het nog thuis bespreken, Murat?' vraagt meester Sjoerd. 'Of kan ik je naam gewoon doorbellen?'

Murat weet zeker dat zijn ouders toestemming geven.

'Het probleem is dat we de brief een beetje laat hebben ontvangen,' zegt de meester. 'Het begint al vrij snel. Ik weet niet precies wanneer; dat moet ik nog even aan meester Bram vragen.'

Dat vindt Murat geen punt.

'We komen wel kijken, hoor,' zegt Jennifer.

Terwijl de anderen hun topografie leren, staart Murat naar buiten. In gedachten ziet hij Katja op de voorste rij zitten…

'Ik ben zo blij voor je,' zegt Katja als ze naar buiten lopen.
Murat vindt het fijn dat ze met hem meeleeft. Onder de les stak ze ook een paar keer haar duim naar hem op.
'We zijn hartstikke trots op je.' Katja knijpt in Murats hand. Murat voelt dat hij bloost. Hij baalt van zichzelf. Waarom loopt hij nou als een sukkel naast haar. Hij kan toch wel iets aardigs terugzeggen?
'Vanavond heb jij ook feest,' zegt hij. 'Ik zal ervoor zorgen dat jij die hond krijgt.'

'Nee,' zegt Katja. 'Niet gauw over mij beginnen. Het gaat nu over jou. Over een poosje sta je in de schouwburg. Dat moeten we vieren.'

'Het is een unieke kans,' zegt Dorus. 'Je wil toch acteur worden?'

'Jij hoeft later geen toelatingsexamen voor de toneelschool meer te doen,' zegt Guido. 'Wedden dat ze komen smeken of je erop wil.'

'Hoera, Murat wordt beroemd!' juicht Jennifer.

'Ik trakteer!' Katja gooit haar portemonnee in de lucht. 'Of moet je Zeliha halen?'

'Dat kan nog wel even wachten. Ik fiets straks wel wat harder.'

Achter Katja aan lopen ze de snoepwinkel in. De man achter de toonbank kijkt geërgerd hun kant op. Ze maken ook zo'n lawaai.

'Wat is het hier altijd druk, hè?' Ze kijken zuchtend naar de rij scholieren die voor hen staat.

Murat stoot Katja aan. 'Je hond is al bejaard als wij eindelijk aan de beurt zijn.'

Maar zo lang zal het niet duren, het gaat aardig snel. Ze kijken naar de kinderen die met handenvol snoep de winkel uitgaan.

'Die man wordt schatrijk van onze school,' zegt Jennifer.

Dorus wijst naar twee Marokkaanse meisjes die voor de toonbank staan. Ze zijn allang aan de beurt, maar de eigenaar van de snoepwinkel doet net of hij hen niet ziet. Murat kent de meisjes wel. Ze zitten bij Hamide in de klas.

'Zeg het maar.' De man kijkt Guido aan.

'Die meisjes zijn eerst,' zegt Guido.

'Ik maak zelf wel uit wie ik help,' snauwt de man.

Voordat Guido ruzie gaat maken, grijpt Dorus in.

'Waarom doet u altijd zo onaardig tegen zwarte kinderen?' vraagt hij rustig.

'Omdat ik dat soort liever niet in mijn winkel heb,' antwoordt de man. En hij kijkt Murat en Jennifer vuil aan.

'Als zij niet welkom zijn, komen wij hier ook niet meer,' zegt Guido. Zonder een seconde te aarzelen draaien ze zich om en lopen de winkel uit. Murat voelt dat het zweet in zijn handen staat. Maar hij is trots op zijn vrienden. Meester Sjoerd heeft gelijk, als je ertegen ingaat, krijgt racisme geen kans.

Murat merkt dat zijn vrienden zich tegenover hem en Jennifer schamen.

'Mij zien ze hier niet meer,' zegt Guido.

'Zou het hem wat uitmaken dat we niet meer komen?' vraagt Katja.

'Vijf klanten meer of minder merkt hij niet,' zegt Murat. 'Maar als er over een poosje niemand meer bij hem koopt, piept hij wel anders.' Dorus haalt zijn notitieboekje uit zijn zak en schrijft er iets in.

'Wat schrijf je nou?' vragen ze.

'Niks.' En Dorus stopt zijn boekje weg.

Actie voeren

'Lekker slapen.' Murat geeft Zeliha een kus. Hij doet het licht uit en trekt de deur van het kamertje achter zich dicht. Hij luistert even op de gang, maar het blijft stil. Hij kijkt op zijn horloge. Half zeven. En het hele aanrecht staat nog vol. Dat redt hij dus nooit.

'Ik was wel af,' zegt Murat als hij de keuken inkomt. 'Dat gaat sneller.' Maar Hamide is niet zo meegaand als Zeliha.

'Nee, ik mag afwassen van mama.' En ze houdt de afwaskwast stevig vast. Murat ergert zich. Wat gaat dat traag! In zijn eentje was hij allang klaar geweest.

Eindelijk is het aanrecht schoon. Murat hoopt niet dat zijn moeder nóg een werkje voor hem heeft. Hij kijkt om het hoekje van de kamerdeur, maar zijn moeder is in slaap gevallen. Hij krijgt een warm gevoel. Medine, die nog geen week oud is, ligt vredig tegen haar aan. Hij trekt zijn jas aan en doet de deur naar de winkel open. Zijn vader zit in kleermakerszit op zijn werktafel.

'Ik ga nog even naar Guido,' zegt Murat.

'Niet te laat thuis, hè?' Meneer Gözütok pakt een klosje garen en knipt een nieuwe draad af.

'Ik geloof dat er al op je gewacht wordt,' zegt de moeder van Guido wanneer ze Murat binnenlaat.

'Ik ga meteen naar boven.' Murat holt de trap op.

'Ons in de zenuwen laten zitten, hè?' zegt Guido. 'We waren al bang dat je niet meer kwam.'

'Dan had jij het toch wel gedaan?' zegt Murat.

Zijn vrienden moeten lachen. Als er iemand níet geschikt is om de familie Boendemaker te bellen is het Guido. Ze hoeven maar één verkeerd woord te zeggen of hij scheldt hen uit voor dierenbeulen.

'Zal ik het nummer draaien?' Dorus heeft duidelijk haast.

'Nee.' Murat schrikt. 'Ik wil eerst even oefenen.'

'Goed,' zegt Katja. 'Ik was mevrouw Boendemaker.'

'Oké.' Murat toetst zogenaamd het nummer.

'Hallo, met Loes Boendemaker,' zegt Katja met een superzoetsappig stemmetje.

Murat schiet in de lach. 'Het bestaat niet dat iemand met zo'n lieve stem haar hond mishandelt.'

'Het is ook niks voor Katja.' Guido doet alsof hij de hoorn naar zijn oor brengt. 'Dit is iets voor bikkels.'

'Nou, dat zal wat worden.' Murat moet nu al lachen. 'Daar gaat-ie, hoor.'

Afwachtend kijkt hij naar Guido. 'U spreekt met het antwoordapparaat van Nelis Boendemaker,' klinkt het door de kamer. 'Ik ben er niet. Laat géén boodschap achter, want ik heb geen zin in gezeur.'

Lachend legt Murat de telefoon neer.

'Nog een keer,' zegt Guido.

'Neem dan op!' zegt Murat als er niks gebeurt.

'MET BOENDEMAKER!' brult Guido door de kamer. Poes Sofie schiet van schrik weg.

'Je lijkt wel een pitbull,' lacht Murat. 'Zo durft toch niemand iets te zeggen. Nee, jongens, dit wordt niks. Ik heb genoeg geoefend.'

'Dus nu komt de finale?' vraagt Dorus.

Murat knikt. Om de spanning op te voeren springt hij op. 'Dames en heren, nu is het grote moment aangebroken. Gaat de hond van de familie Boende-maker naar Katja Groeneveld, of zal het arme beest de rest van zijn leven in een koud, tochtig hok moe-ten slijten? Jankend van honger, dorst en eenzaam-heid. Net zolang tot zijn oververmoeide stembandjes en zijn verwonde hartje het opgeven...'

'Jij bent echt gestoord, hè?' Tranen van het lachen lopen over hun wangen.

'Oké,' zegt Murat als zijn vrienden uitgelachen zijn. 'Nou geen grapjes meer. Iedereen houdt zijn mond.'

Nu wordt het Katja te spannend. 'Oh Murat, je moet het goed doen, hoor, denk aan mij.'

Je moest eens weten, denkt Murat. Ik denk al veel te vaak aan je.

'Vind je het eng?' vraagt Dorus.

'Nogal,' zegt Murat.

Guido pakt Murats hand en geeft er een kus op. 'Zo beter?'

'Hmmm... meer... meer...' lacht Murat.

'Nu even serieus, jongens.' Dorus tikt met zijn pen op tafel. 'Ik wil dat Murat zich in zijn rol inleeft, net als bij de voorstelling op school.'

Het wordt stil in de kamer. Iedereen voelt dat het nu menens is. Er worden geen grapjes meer gemaakt.

Ze kijken naar Murat die zich op zijn opdracht voor-
bereidt. Er gaan een paar minuten voorbij en dan
neemt hij de hoorn van de haak. Je kunt zien dat hij
het eng vindt. Zijn vingers trillen even.
Ik doe het voor Katja, zegt Murat bij zichzelf. Hij
voelt zijn hart in zijn keel kloppen als de telefoon
overgaat. Een, twee, drie, vier, vijf, zes keer laat

Murat de telefoon overgaan en dan legt hij de hoorn neer. 'Ze zijn er niet.'

'Niet te geloven.' Dorus ijsbeert door de kamer alsof hij onmiddellijk een oplossing moet bedenken.

'Misschien laten ze de hond uit.' Katja moet er zelf om lachen.

Dorus kijkt op zijn horloge. 'Over tien minuten proberen we het weer.'

'Is er nog iets op de buis?' Guido heeft zijn vinger al bij de knop.

'Niks buis, jongens. Eigenlijk wilde ik dit morgen met jullie bespreken, maar het kan ook nu.' Dorus kijkt er zo ernstig bij dat ze in de lach schieten.

'Je gaat ons toch niet vertellen dat je zwanger bent, hè?' zegt Guido. 'Ik heb geen geld voor babykleertjes.'

'Dan brei je ze toch.' Jennifer valt zowat van de stoel van het lachen.

Dorus haalt zijn notitieboekje te voorschijn. 'Ik wil het over het snoepwinkeltje hebben.'

'Nee, hè? Hij is er eindelijk achter hoeveel kleur- en smaakstoffen er in de snickers zitten,' zegt Jennifer.

Katja geeft haar een por. 'Doe nou niet zo flauw. Je ziet toch dat Dorus iets serieus te vertellen heeft.'

'Sorry.' Jennifer zet haar gezicht in de plooi.

'Ik wil het niet over de snoep hebben, maar over die eigenaar. Het is ons allemaal duidelijk geworden dat het een racist is. Wat er vanmiddag gebeurd is, mag niet ongestraft blijven.'

'We zijn toch ook weggelopen?' zegt Jennifer. 'En ik zet geen stap meer in die winkel.'

'Ook niet als hij de snickers voor de helft van de prijs van de hand doet?' Guido weet hoe belangrijk snickers voor Jennifer zijn.

'Nee.' Jennifer steekt twee vingers op.

Ze zijn het alle vier met Jennifer eens.

'Mooi zo,' zegt Dorus. 'Maar wat mij niet lekker zit, is dat de rest van de school daar nog wel koopt.'

'We kunnen hun toch niet verbieden daar naar binnen te gaan,' zegt Guido.

'We moeten ze bewust maken,' zegt Dorus.

'Moeten we ze bewusteloos slaan?' Jennifer schrikt.

Dorus legt uit wat hij bedoelt. 'We moeten vertellen dat die man een racist is en wat dat betekent en dat wij vinden dat ze zijn winkel moeten boycotten.'

'Dat zou wel fantastisch zijn.' Katja ziet het al voor zich. 'Als niemand van onze school meer bij hem koopt, krijgt hij het knap moeilijk.'

'Inderdaad,' zegt Dorus. 'We gaan actie voeren. We stellen een brief op en die delen we aan de hele school uit. Ik ben ook van plan de krant erbij te halen. En het jeugdjournaal.'

'Dan kan hij sluiten.' Ze wrijven zich in hun handen.

'Wat doen we?' Dorus kijkt de kring rond. 'Zal ik de brief opstellen?'

'Dan hebben we nog veel meer werk,' zegt Jennifer. 'Want dan kunnen wij hem eerst vertalen.'

Dorus moet lachen. Hij weet dat Jennifer zijn taalgebruik veel te ingewikkeld vindt.

'Die kleintjes van groep vier en vijf moeten het ook snappen,' zegt Guido.

'En het moet een brief zijn,' zegt Murat. 'En geen verhaal van tien blaadjes over racisme, dat leest niemand.'

'We kunnen vast een opzetje maken.' Dorus haalt
pen en papier te voorschijn. 'Beste medescholieren,'
begint hij.

'Wat nou: medescholieren? OPROEP moet erboven
staan,' zegt Murat.

Dat vinden de anderen ook veel krachtiger. Alleen
Katja reageert niet. Als Murat haar kant opkijkt, ziet
hij dat ze krulletjes in haar haren draait. Dat doet ze
alleen als ze ergens over piekert.

'Zal ik nog even bellen?' vraagt hij.

'Ja!' Katja kijkt hem dankbaar aan.

'Die zijn er nog niet,' zegt Dorus die blijkbaar liever
doorgaat.

'Dat weet je nooit.' En Murat draait het nummer.

'Hè, wat stom, er is nog niemand thuis,' zegt Murat
als de telefoon vijf keer is overgegaan. 'Hoor maar.'
En hij houdt de telefoon tegen Katja's oor.

Katja knikt teleurgesteld. Maar dan wordt ze rood.
Paniekerig kijkt ze haar vrienden aan. Ze houdt haar
hoofd zo dat ze het allemaal kunnen horen.

'Hallo, met Boendemaker,' klinkt het ongeduldig.

Murat grijpt de telefoon. Maar aan de andere kant is
de hoorn al neergelegd.

De toneelclub

Murat schiet in de lach als hij in de spiegel kijkt. Je kunt wel zien dat hij een halve pot gel in zijn haar heeft gesmeerd. Al komt er een orkaan, dan nog blijft het omhoog staan. Hij heeft echt zin om naar de toneelclub te gaan. Zijn vrienden vroegen nog of hij erg zenuwachtig was, maar daar heeft hij geen last van. Hij vindt het juist leuk.

Vanavond proberen ze opnieuw de familie Boendemaker te bellen. Dat komt goed uit, dan kan hij zijn vrienden verslag uitbrengen. Ze willen natuurlijk weten waar het toneelstuk over gaat en welke rollen er te verdelen zijn. Murat hoopt dat hij de hoofdrol krijgt. Hij trekt zijn jas aan en doet de deur naar de winkel open. Langs een paar klanten glipt hij naar buiten.

Hij moet aan de andere kant van het tunneltje zijn. Dorus wist precies waar het was. Dat komt doordat het gebouw in dezelfde straat staat als de bibliotheek. Murat vermoedt dat Dorus de bibliotheek met zijn ogen dicht kan vinden. Hij komt er bijna elke dag. Het zou Murat niet verbazen als hij bijna alle boeken heeft gelezen. Hoe komt hij anders aan al die kennis? Van sommige onderwerpen weet hij zelfs meer dan meester Sjoerd.

Murat is eerder bij het tunneltje dan hij had

verwacht. Nu kan het niet ver meer zijn. Hij rijdt een brede straat in. Als hij de hoek omgaat, ziet hij het gebouw al. Hij is niet de enige die zo vroeg is. Op de stoep voor de deur staat een groepje kinderen te wachten. Murat zet zijn fiets tegen een boom en gaat erbij staan.

'Hoi.' Hij steekt zijn hand op. 'Ik ben Murat.'

'Hallo.' Een jongen zegt hoe hij heet en een paar meisjes lachen verlegen.

Een van de jongens blijkt een fanatieke drummer te zijn, net als Guido. Elke dag kijkt Guido op het advertentiebord van de supermarkt of er een drum-stel wordt aangeboden.

Murat hoort gefluister naast zich. Een meisje dat Charlotte heet, wijst naar een lange jongen die met zijn fiets de stoep oprijdt.

'Ik ben Dave,' zegt de jongen als hij komt aanlopen.

Murat wil zich voorstellen, maar daar krijgt hij geen kans voor.

'Wat komt dat hier doen?' De jongen kijkt Murat minachtend aan. Zijn houding heeft iets dreigends.

Murat voelt zich meteen niet meer op zijn gemak.

'Je komt zeker de wc's schoonmaken, hè?' zegt de jongen.

Sommige kinderen schieten in de lach. Een paar anderen slaan hun ogen neer.

Murat wil zeggen dat hij voor de toneelclub komt, maar van schrik struikelt hij over zijn woorden.

'Ikke niet verstaan,' zegt Dave pesterig.

Murat kijkt naar de anderen, maar niemand zegt

iets. Gek is dat, hij wist altijd zo goed te vertellen hoe hij in zo'n situatie zou reageren en nu kan hij niks bedenken. Achter zich hoort hij een klap. 'Daar ligt een fiets,' zegt een jongen die Tom heet.

'Dat is mijn fiets.' Murat loopt ernaartoe en zet hem overeind.

'Ik wist niet dat Turkies ook konden fietsen,' zegt Dave. 'Ik dacht dat je op een ezel hiernaartoe was gekomen.'

Murat verbijt zich. Hij is blij dat de deur wordt opengemaakt.

'Kom binnen, jongens. Ik ben Lucien, jullie regisseur.' Een jonge vrouw gaat hen voor naar de repetitieruimte. Het ziet er wel gezellig uit. Lucien heeft de stoelen in een halve kring gezet en voorin is een toneel. Ze lijkt Murat heel aardig. De andere kinderen zijn ook aardig. Tom gaat zelfs naast hem zitten, maar toch voelt Murat zich eenzaam. Waarom kwam er niemand voor hem op? Hij weet zeker dat ze allemaal hebben gehoord wat Dave zei. Murat heeft het gevoel dat hij er niet echt bijhoort. Voor het eerst sinds lange tijd voelt hij weer dat hij anders is en dat doet pijn. Omdat hij er niks aan kan doen. Hij kan het toch niet helpen dat zijn vader en moeder in Turkije zijn geboren? Kom op, zegt hij bij zichzelf, je laat je toch niet door dat stomme joch in de war brengen. Hij weet gewoon niet beter. Misschien is hij wel bang voor je. Als hij je eenmaal leert kennen, wordt hij heus wel aardig.

Alle dingen die meester Sjoerd over racisme met hen

heeft besproken gaan door Murats hoofd. Maar hij wordt er niet rustig van. Daar zorgt Dave wel voor. Dave gaat demonstratief tegenover hem zitten. Zodra Murat opkijkt, begint hij vals te grijnzen.

Lucien vertelt iets over zichzelf. Daarna zegt ze dat ze niet alleen aan het toneelstuk gaan werken, maar dat iedere speler ook moet improviseren. Op die manier leert ze hun speelstijl kennen.

'Ja, doodeng hè!' zegt ze als ze de verschrikte gezichten ziet. 'Maar we doen het toch. Nú zouden jullie me het liefst vermoorden, maar achteraf zullen jullie me dankbaar zijn. Als je je rol even niet weet en je kunt goed improviseren, dan red je je er altijd uit. Wees gerust, vandaag zal ik jullie er nog niet mee lastigvallen. We gaan stemoefeningen doen.' Ze springt overeind. Als iedereen staat, moeten ze klanken uitstoten. Ze vinden het allemaal een beetje raar, maar doordat Dave steeds lelijk naar Murat kijkt is het voor hem extra moeilijk. Gelukkig merkt Lucien niks van Murats gestuntel. Het gaat nog bij niemand goed.

'Nu gaan we het toneelstuk met elkaar lezen.' Lucien deelt de toneelboekjes uit en geeft iedereen een rol. Dave moet beginnen. Murat vindt dat hij het goed doet. Lucien is ook verrast, dat is te merken aan haar reactie. Murat leest zijn tekst snel door. Dan heeft hij het tenminste al een keer gezien. Het lijkt hem niet echt moeilijk, maar dat valt tegen. Als hij aan de beurt is, komen de eerste zinnen er prima uit. Maar als hij opkijkt en Dave zijn hand achter zijn oor houdt, alsof Murat niet te verstaan is, wordt hij onzeker. Hij kan zich niet meer zo goed in zijn rol inleven. Zijn stem wordt vlakker en bij het laatste stuk stottert hij twee keer. Dat overkomt hem normaal nooit.

Lucien praat nog een tijdje door over de inhoud van het stuk en waarom ze het heeft gekozen. Het gaat langs Murat heen. Hij verwacht dat iedereen zich zal afvragen waarom hij is uitgekozen. Kon hij het maar overdoen.

Na afloop roept Lucien hen om de beurt bij zich. Ze noteert hun telefoonnummer voor het geval dat een repetitie verschoven wordt. Gelukkig is Dave eerst. Murat heeft het gevoel dat hij pas lucht krijgt als Dave de repetitieruimte verlaat.

Teleurgesteld komt hij even later het gebouw uit. Dit had hij zich toch echt anders voorgesteld. Wat moet hij vanavond tegen zijn vrienden zeggen? De hoofdrol kan hij wel vergeten. Hij heeft het echt verpest. Hoe moet dat nou? Ze zijn juist zo trots op hem.

Als hij zijn fietssleutel uit zijn zak haalt, valt zijn oog op een briefje dat tussen zijn bel zit geklemd. Murat denkt dat zijn vrienden een grap met hem willen uithalen. Die wachten natuurlijk tot hij begint te lezen en dan staan ze opeens achter hem. Of zou het van Katja zijn? Opgewonden vouwt Murat het briefje open. Terwijl hij leest, trekt de kleur uit zijn gezicht weg.

'Oprotten, vieze Turk,' staat er. 'Ik wil niet met jou in een toneelstuk. Je bent gewaarschuwd.'

Murat hoeft zich niet af te vragen wie dit geschreven heeft. Hij trilt over zijn hele lichaam. Trek je er niks van aan, denkt hij. Dat rotjoch weet niet beter. Maar wat hij ook tegen zichzelf zegt, het helpt niet. De woorden blijven door zijn hoofd malen. Ineens voelt hij zich heel onveilig. Het liefst zou hij hier nooit meer terugkomen. Dan maar geen toneelclub. Maar wat moet hij dan tegen zijn vrienden en tegen meester Sjoerd zeggen? Niemand mag dit weten. Hij stopt het briefje in zijn zak en rijdt hard weg. Bij het kanaal stopt hij. Hij haalt het briefje te voorschijn en scheurt het in piepkleine stukjes. Als niemand meer kan lezen wat er heeft gestaan, gooit hij de snippers in het water.

Het is maar goed dat Murat niet direct na de repetitie de familie Boendemaker moest bellen. Dan had hij zijn gevoelens niet kunnen verbergen. Als iemand had gevraagd hoe het was gegaan, zou hij zo zijn gaan huilen. Nu zijn er alweer een aantal uren verstreken. Hij voelt zich een stuk beter. Thuis heeft hij er nog eens rustig over nagedacht. Hij is niet van plan om zich door Dave op zijn kop te laten zitten. Hij gaat gewoon naar de volgende repetitie en trekt zich niks van dat joch aan.
Voordat Murat de deur van Guido's kamer opendoet, haalt hij diep adem. En wat hij verwachtte, gebeurt ook. Hij heeft nog geen stap over de drempel gezet of ze stormen op hem af. 'Vertel op, hoe was het?'

'Leuk,' zegt Murat zo luchtig mogelijk.

Maar daar nemen zijn vrienden geen genoegen mee.

'Wat nou leuk? Heb je de hoofdrol of niet?'

'Dat is nog niet bekend,' zegt Murat. 'We hebben alleen gelezen.'

'Je bent wel een beetje vaag,' zegt Jennifer.

'Er valt ook niks te vertellen,' zegt Murat.

'Je kunt toch wel zeggen waar het toneelstuk over gaat?' vraagt Dorus.

'Het gaat over een jongen die ze overhalen om drugskoerier te worden.'

'Wat gaaf! Hoe loopt het af?' Zijn vrienden hangen aan zijn lippen.

Murat realiseert zich dat hij niet eens weet hoe het afloopt. Door dat gedoe met Dave is het langs hem heen gegaan.

'Oh, ik merk het al jongens,' zegt Guido. 'Meer wil hij niet kwijt. Het moet spannend blijven. Zo meteen gaat hij nog zeggen dat hij een heel klein rolletje heeft.'

'Ja,' lacht Jennifer. 'En dan komen wij kijken en wie zien we dan in de hoofdrol…'

Murat lacht maar een beetje met zijn vrienden mee. Hij hoopt dat ze niet de hele avond over die toneelclub blijven zeuren. 'Wat doe je eigenlijk met je verjaardag?' vraagt hij gauw aan Katja.

'Het wordt een knalfeest. Ik heb iets heel leuks bedacht, maar ik vertel nog niet wat. Ik mag vier vrienden uitnodigen.'

'Dat komt goed uit,' zegt Jennifer.

Katja knikt. 'Ik vraag Paul en Christien en Maarten en Mohamed…' Met een stalen gezicht noemt ze vier andere klasgenoten op.

'Nou jongens, dat weten we dan. Wij mogen niet komen. Dan hoeven we ook niet meer voor die hond te bellen,' zegt Guido.

'Nee,' zegt Murat. 'Dat vraag je dan maar aan Maarten.'

Nu moeten ze lachen. Zoiets durft Maarten nooit. Die wordt al rood als hij zijn naam moet opnoemen. Dorus roept hen tot de orde. 'Actie, jongens. Murat, ben je zover?'

'Ik wel,' zegt Murat.

'Mooi zo, dan doen we weer een poging.' Dorus legt het telefoonnummer voor Murat neer.

'Een momentje.' Murat moet zich even concentreren. Er is vandaag ook zoveel gebeurd. Hij weet niet of het hem lukt. Ongemerkt kijkt hij Katja's kant op. Ze geeft hem een knipoog. Dat is genoeg voor Murat om de hele wereld aan te kunnen. En hij toetst het nummer.

Iedereen is stil. Jennifer durft zelfs niet op haar kauwgum te kauwen. Vol spanning kijken ze naar Murat. Dit keer hoeft hij de telefoon niet vijf keer over te laten gaan. Al na twee keer wordt er opgenomen.

'Met Boendemaker,' klinkt het aan de andere kant van de lijn.

'Goedenavond,' zegt Murat met een verdraaide stem. 'U spreekt met Boontjes van de dierenbescherming.'

Murat voelt dat hij in topvorm is.

'Er is bij ons een klacht binnengekomen over uw hond,' gaat hij verder. 'Het schijnt dat het dier dagen alleen is en aan één stuk door blaft.'

'Mag ik misschien weten wie de dierenbescherming heeft ingelicht?' vraagt de man.

Hier heeft hij op gerekend. 'Nee meneer, dat mogen wij niet zeggen.'

'Dan heb ik ook niks te zeggen. Dag meneer Boontjes.' En de hoorn wordt erop geknald.

Murat zit verbluft met de telefoon in zijn hand.

'Waarom hing hij op?' vraagt Dorus.

'Hij had niks te zeggen,' antwoordt Murat.

'Terugbellen.' Dorus' woorden klinken als een bevel. 'Dreig maar met de politie.'

Opnieuw draait Murat het nummer. 'Nog even met Boontjes,' zegt hij als er wordt opgenomen. 'Het lijkt me verstandig dat u toch naar mij luistert. Anders bestaat de kans dat de politie vandaag of morgen bij u op de stoep staat.'

'De politie?'

Murat hoort dat zijn woorden indruk maken. 'Ja meneer. Er is een handtekeningenactie in uw buurt gehouden.'

'Ik weet al wie mij dit heeft geflikt,' brult de man. 'Dat mens van hiernaast.'

Nu weet Murat even niet hoe hij verder moet. Gelukkig houdt Dorus een papiertje omhoog. 'Voorlezen,' staat erboven.

'Voorlezen,' zegt Murat door de telefoon.

Iedereen schiet in de lach. Ze doen gauw hun hand voor hun mond.

De man aan de andere kant van de lijn snapt er niks van. 'Voorlezen? Moet ik mijn hond voorlezen?'

'Nee eh...' Murat redt zich er snel uit en leest wat er nog meer op het briefje staat. 'Wij hebben een goed huis voor uw hond. Ik kan u niet dwingen, maar als u verstandig bent gaat u op mijn aanbod in.'

'Ik pieker er niet over,' zegt Boendemaker.

'Misschien moet u even aan het idee wennen dat u dan geen hond meer hebt,' zegt Murat. 'Laten we afspreken dat ik u over een paar dagen terugbel.'

'Hoe bedoelt u dat eigenlijk? Moet ik voor dat huis betalen?' vraagt Boendemaker.

'Nee,' zegt Murat. 'Die kosten neemt de dierenbescherming op zich. Maar als u de hond houdt, kan het een dure grap worden. Proceskosten van de buurt, bekeuringen, dat kan aardig oplopen. Denkt u er maar rustig over na. Dag meneer Boendemaker.'

Murat veegt het zweet van zijn voorhoofd als hij de telefoon neerlegt. Hij kijkt Katja aan. 'Nou weten we nog niks.' Hij had haar zo graag blij gemaakt.

'Je hebt het wel hartstikke knap gedaan. Ik had die hoorn er allang op gekwakt.' En Katja geeft Murat een zoen op zijn wang.

'Wat denk je er zelf van?' vraagt Dorus. 'Trappen ze erin?'

Maar Murat denkt iets heel anders. Mooi dat ik mijn wang voorlopig niet was. En voor het eerst na de toneelrepetitie voelt hij zich weer gelukkig.

De dierenbescherming

Murat zwaait nog één keer naar Zeliha die met haar neus tegen de ruit van haar klas gedrukt staat en dan stapt hij op zijn fiets. Vandaag komt het hem wel goed uit dat hij zo vroeg is. Dan kan hij voordat de school begint het toneelstuk nog even doorlezen.

Als hij de kade oprijdt, gaat er een schok door hem heen. Een eindje verderop fietst Katja. In een paar seconden heeft Murat haar ingehaald. Hij zou van alles tegen haar willen zeggen. Dat ze er super uitziet. Dat hij vannacht weer van haar gedroomd heeft. Dat ze het liefste en leukste meisje van de wereld is. Maar het enige wat hij durft te zeggen is 'hoi'. En dan nog veel te zacht.

Het lijkt wel of Katja zich betrapt voelt. Ze schrikt als ze Murat ziet.

'Wat ben ik vroeg, hè?' zegt ze.

'Ik vind het wel gezellig.' Het toneelstuk blijft mooi in mijn tas, denkt Murat. Dat lees ik wel een andere keer uit.

'Ik eh… ik ga nog niet naar school.' Murat ziet dat Katja kleurt. 'Ik ga nog even langs mijn liefje.'

Murat botst van schrik bijna tegen een auto. Is Katja verliefd? Hij denkt aan die keer met die lekke band. Toen ze twee armen om Guido heen sloeg, vermoedde hij al iets. Maar nu weet hij het zeker. Ze is verliefd op Guido. Hij zou het liefst omkeren, maar dat vindt hij kinderachtig. Met een zwaar gevoel trapt hij door. Hij had het kunnen weten. Zo'n knap meisje als Katja wordt nooit verliefd op hem.

'Gisteren ben ik ook stiekem bij hem geweest,' zegt Katja. 'Waarom ga je niet mee? Hij kent jou ook.'

Ja, Guido kent mij zeker, denkt Murat. Die vindt er echt niks aan als ik mee kom. Die wil alleen met Katja zijn, dat is toch logisch. Dat ze uitgerekend op Guido verliefd is, zijn beste vriend. Wat een afknapper. Murat is blij als ze bij het kruispunt zijn. 'Ik ga hier linksaf. Ik wil mijn toneelstuk uitlezen.'

'Jammer.' Katja wijst op haar rugtas. 'Ik heb een verrassing voor hem. Weet je wat?'

Ook dat nog, ze heeft een cadeautje voor Guido. Alsof Murat daarin geïnteresseerd is. 'Ik hoor het nog wel.' En hij slaat linksaf.

Maar Katja kan het niet voor zich houden. 'Ik heb een kluif voor hem gekocht!' roept ze Murat na.

Een kluif? Murat staat meteen stil. Katja heeft het helemaal niet over Guido. Ze gaat naar die hond… Hij kan het wel uitschreeuwen van blijdschap. Hij draait zich om en racet haar achterna. 'Ik ga toch mee.'

Ze hoeven niet op de huisnummers te letten. Op de hoek van het Achterpad horen ze de hond al blaffen. 'Zielig, hè? Dat was gisteren ook,' zegt Katja.

Murat moet lachen om het gemak waarmee Katja het hek opendoet. Zo te zien voelt ze zich al helemaal thuis. En die mensen weten van niks, dat vindt hij nog de grootste mop.

'Ga jij maar eerst,' zegt Murat. 'Dan schrikt hij niet zo.'

Hij kijkt Katja na die naar het hok loopt en de hond aait. Ineens trekt ze haar hand terug.

'Bijt hij?' Murat staat meteen naast haar.

'Nee.' Katja wijst naar de hondennek. 'De wond is veel groter geworden. Hij kreunde toen ik hem aan-raakte.' Ze haalt de kluif uit haar tas en legt hem voor de hond neer. Maar hij reageert niet.

'Hij heeft pijn,' zegt Murat.

'Kunnen jullie hier vandaag niet blijven?' Het hoofd van de buurvrouw komt boven de heg uit. 'Dan heb ik tenminste een rustige dag. Nou ja, er zal nu wel snel een eind aan komen. Het schijnt dat iemand de dierenbescherming heeft ingeschakeld. De buurman stond woedend bij mij voor de deur. Hij wou maar niet geloven dat ik van niks wist. Ik zou echt niet weten wie dat heeft gedaan.'

Katja en Murat durven elkaar niet aan te kijken. Zodra de buurvrouw naar binnen is, beginnen ze te grinniken. 'Wie zou dat nou gedaan hebben, hè?' Katja kijkt lachend naar de hond. Haar vrolijkheid verdwijnt op slag. Murat ziet het ook. Zijn voorpoot is kapot.

'Gisteren zag ik hem al bijten,' zegt Katja.

Samen zitten ze voor het hok. Ze weten niks te zeggen. Het is ook zo zielig, het beest kijkt hen vragend aan, maar ze kunnen niks voor hem doen.

'Vanavond gaan we weer bellen,' zegt Katja. 'Dan moet het lukken.'

Murat knikt. 'Eén nachtje houdt hij het nog wel vol.' Hij hoopt dat het waar is dat ze het dier hier morgen mogen weghalen. Zo te zien moet het niet veel langer meer duren.

'We moeten gaan,' zegt Murat.

Zuchtend komen ze overeind.

'Wat zijn jullie laat!' Dorus staat ongeduldig bij het hek. 'Jullie moeten je goedkeuring nog geven.' Zodra ze hun fiets hebben weggezet, haalt hij het pamflet uit zijn rugtas.

Murat en Katja lezen het door. 'Dit maakt indruk.' Murat steekt zijn duim op.

'Wedden dat er niemand meer in dat snoepwinkeltje komt?' roept Katja enthousiast.

Guido en Jennifer weten het ook zeker.

'Waar gaan we het eigenlijk kopiëren?' vraagt Murat. 'Het gaat om tweehonderd stuks, dat doe je niet even bij de supermarkt.'

'Daar heb ik al iets op bedacht,' zegt Dorus.

'Je gaat ze alle tweehonderd persoonlijk schrijven,' grapt Guido. 'Nou, dat lukt je wel voordat we van school zijn.'

'Zeker als je na elke regel een uur op je pen bijt,' lacht Jennifer.

Maar Dorus laat zich niet van de wijs brengen. 'Mijn oplossing is iets efficiënter. Vanavond staat iedereen om zeven uur voor de V&D.'

'Vanavond zouden we die Boendemaker bellen,' zegt Murat.

'Maak je geen zorgen,' zegt Dorus. 'Ik heb overal aan gedacht.'

'Hèhè,' zegt Guido als Dorus 's avonds aan komt rijden. 'Nou krijgen we eindelijk iets te horen. Waar gaan we kopiëren?'

Dorus houdt een bos sleutels omhoog. 'Deze zijn van het kantoor van mijn pa.'

'Heb je die gepikt?' Dat had Murat nooit van Dorus gedacht.

'Ik heb toestemming gevraagd,' zegt Dorus. 'Mijn vader vond het prima. Als ik maar weer goed afsluit.'

Achter Dorus aan fietsen ze de stad door. Ze komen in een straat vol kantoorgebouwen. Een eindje van de hoek stapt Dorus af. 'Hier is het.'

Je kunt wel merken dat Dorus zijn vader in de zomervakantie op kantoor heeft geholpen. Hij weet precies hoe alles werkt. Binnen een kwartier zijn de kopieën klaar.

'Vakwerk.' Ze klappen uitbundig voor hun vriend.

Dorus kijkt Murat aan. 'Nu jij nog.'

'Daar was ik al bang voor,' lacht Murat. 'Geef het nummer maar, dan ben ik er tenminste vanaf.'

Ze gaan allevier om Murat heen zitten. Murat ziet dat Katja stiekem duimt. Zelf is hij ook zenuwachtig. Zijn hart begint sneller te kloppen. Hij schraapt zijn keel en dan draait hij het nummer.

'Goedenavond,' zegt hij met een verdraaide stem als

de hoorn wordt opgenomen. 'U spreekt met Boontjes van de dierenbescherming. Ik zou u terugbellen over de hond, weet u nog?'

'Ja, dat klopt,' klinkt de stem van Boendemaker aan de andere kant van de lijn. 'Ik heb het er met mijn vrouw over gehad en u moet dat beest maar komen halen.'

'Heel verstandig.' Murat steekt zijn duim op naar zijn vrienden.

'Morgen is mijn vrouw tot tien uur thuis,' zegt meneer Boendemaker. 'Dus dan kunt u komen.'

Help, denkt Murat. Dat moeten ze niet hebben. Die vrouw mag hen niet zien.

'Een ogenblikje, ik moet even navragen of het uitkomt.' Murat drukt de pauzetoets in. 'Hij wil de hond persoonlijk aan ons meegeven,' fluistert hij. 'Wat moet ik nou?'

De anderen raken ook in paniek. Zo meteen gaat alles toch nog mis. Dorus is de enige die rustig blijft.

'Zeg dat die mensen waar de hond heen moet er morgen niet zijn. Je komt hem overmorgen zelf wel halen.'

'Hallo,' zegt Murat. 'Ik zie hier dat de mensen van het opvangadres er morgen niet zijn. Overmorgen is voor hen de beste dag. U hoeft er niet speciaal voor thuis te blijven, hoor, ik neem de hond gewoon mee.' Zeg alsjeblieft dat het goed is, denkt hij.

'Dat moet dan maar,' zegt de man, 'want overmorgen kunnen wij ons niet vrijmaken. Als u de achtertuin inloopt, ziet u het hok vanzelf.'

'Afgesproken,' zegt Murat. 'Ik zorg dat de hond wordt opgehaald, daar kunt u van opaan.'

Murat heeft de hoorn nog niet neergelegd of Katja valt hem om de hals. 'We hebben feest!'

'Nou, feest…' Guido kijkt bedenkelijk.

'Dat vind ik ook wat overdreven,' zegt Jennifer.

'Wat nou?' Katja begrijpt er niks van. 'Zijn jullie niet blij?'

'Ik weet niet of ik het wel zo'n goed idee vind,' zegt Guido. 'Dat beest heeft het toch prima daar? Een fijn tochtig hok, lekker veilig aan een ketting.'

Jennifer knikt. 'Zo goed kan hij het bij jou nooit krijgen. Dan moet hij steeds wandelen en in huis slapen, misschien zelfs in een mand. Ik weet niet of we hem dat aan kunnen doen.'

Murat krijgt ook zin om Katja te plagen. 'Jullie hebben gelijk, laat ik het maar afbellen.' Terwijl hij met één oog naar Katja kijkt, legt hij zijn hand op de telefoon.

'Dat doe jij mooi niet.' Katja pakt Murat bij zijn schouders en kijkt in zijn ogen.

Murat voelt dat hij knalrood wordt. 'Wat was dat een spannend telefoontje,' zegt hij gauw. 'Ik heb het er nog warm van.'

Oproep

Murat staat midden op het schoolplein. 'Ik heb niks meer. Daar moeten jullie zijn.' Hij stuurt een groepje kinderen naar Jennifer, Guido en Katja die nog pamfletten hebben. Ze zijn nauwelijks weg of het volgende groepje komt al naar hem toe. 'Waar kan je zo'n papier krijgen?'

'Daar!' Murat is trots op zijn school. Iedereen staat achter de actie. De ouders van de kleuters reageren ook positief. En de achtste-groepers zijn helemaal fel. 'Die vent kan stikken in zijn snoep!' roepen ze. 'Die ziet ons niet meer!'

Terwijl Murat de kinderen doorstuurt, komt Katja aangehold. 'Waar is Dorus? De pamfletten zijn bijna op.'

Als ze het schoolplein rond kijken, zien ze Dorus met de kleintjes van groep drie praten. Murat stapt op hem af. 'Zijn er nog pamfletten?'

Dorus doet een greep in zijn rugtas. 'Dit is alles.'

Murat geeft het stapeltje pamfletten aan Katja. 'Het zijn de laatste.' Hij had niet verwacht dat hun actie zo zou inslaan. Iedereen praat erover.

'We zijn los!' Met lege handen komen zijn vrienden aanlopen.

'Volgens mij is er niemand meer die geen pamflet heeft,' zegt Murat.

Ze kijken naar Dorus die nog steeds op de kinderen inpraat. 'Hallo, de les is afgelopen!' roept Guido. Als Dorus niet ophoudt, trekt hij hem aan zijn jas bij de kinderen weg. 'Wat moeten die kotertjes nou met racisme, man.'

'Je bent nooit te klein om tegen racisme te zijn,' zegt Dorus.

'Gaaf!' Ze beginnen allemaal te klappen.

'Oh jee,' zegt Jennifer ineens. 'We hebben alles uitgedeeld. Nou hebben de juffen en de meesters niks.'

'Ik heb een stapeltje achtergehouden.' Dorus haalt nog wat pamfletten uit zijn binnenzak.

'Waar zijn ze eigenlijk?' Op het hele schoolplein is niet één leraar te bekennen.

'Die zijn van schrik het kamertje ingevlucht,' zegt Dorus. 'Ze zijn in spoedberaad.'

'In wat?' vraagt Jennifer.

'Ze overleggen hoe ze op onze superactie moeten reageren,' legt Dorus uit.

'Verbieden kunnen ze het al niet meer,' lacht Guido.

Maar dat was meester Sjoerd niet van plan. Hij is veel te trots op zijn leerlingen.

'Dit noem ik nou echt actie voeren,' zegt hij als iedereen binnen is. 'En jullie zien dat het werkt. Op deze manier krijg je de ouders mee. En de leraren ook. Of is dat niet de bedoeling?'

'Je bent nooit te klein om tegen racisme te zijn,' zegt Dorus.

Iedereen schiet in de lach.

'Goed hè, meester? Wij laten niemand van onze

school discrimineren. Dat pikken we gewoon niet!'
Guido gaat er van opwinding bij staan.

Hoe langer ze erover praten, hoe overmoediger ze worden.

'Eigenlijk is racisme zo op te lossen,' zegt Paul. 'Als je maar voor elkaar opkomt.'

'En dat doen wij, hè meester!' roept Christien. De klas begint te juichen.

Murat is de enige die stilletjes voor zich uitkijkt. Hij is blij dat hun actie succes heeft, maar zo gemakkelijk als ze er nu over doen is het niet. Dat heeft hij zelf ondervonden. Hij denkt weer aan de woorden van Dave. Je komt zeker de wc's schoonmaken. En niemand zei iets. Murat weet heus wel dat ze niet allemaal zo zijn als Dave. Dave geeft hem niet eens een kans. Hij veroordeelt hem meteen, alleen omdat zijn ouders uit Turkije komen. Zo is Gijs niet. En van Charlotte en Tom weet hij het ook zeker. Ze durven alleen niet tegen Dave in te gaan.

Murat voelt zich eenzaam. Juist omdat iedereen zo vrolijk is. Kon hij het hun maar vertellen. Kon hij maar zeggen dat ze het wel een beetje erg simpel voorstellen. Maar dat wil hij niet. Hij is niet van plan om de feeststemming te bederven.

'Wat ben jij nou somber?' Guido stoot Murat aan. 'Dit wordt fantastisch, man. Wedden dat er niemand van onze school meer naar het snoepwinkeltje gaat.'

Murat knikt. Guido heeft gelijk. Dat hebben ze tenminste bereikt. Daar moet hij blij mee zijn.

'Ik heb nog één pamflet,' zegt Dorus als ze tussen de middag de school uitlopen. 'Wat doen we daarmee?'

'Die geven we aan de baas van de snoepwinkel,' zegt Jennifer.

'Dat mocht hij willen,' zegt Guido. 'Hij komt er zelf maar achter waarom zijn spekkies over een poosje liggen te rotten.'

'We moeten er wel heen gaan, hoor,' zegt Katja. 'Ik wil de kop van die vent wel eens zien als er niemand komt.'

Daar is iedereen voor in. Murat pakt het pamflet uit Dorus' hand, rolt het op en zet het als een toeter aan zijn mond. 'Attentie, attentie! Over enkele ogenblikken komt de waarheid aan het licht,' roept hij met een dramatische stem. 'Zijn de leerlingen van de Toermalijn BIKKELS? Steunen zij onze actie? Of zijn het slappe soepkippen, die ondanks onze waarschuwing toch hun maag blijven vullen met besmette lolly's en spekkies uit de verboden snoepwinkel…'

Lachend lopen ze achter Murat aan de hoek om. En dan kunnen ze hun nieuwsgierigheid niet langer bedwingen. Ze rennen naar de snoepwinkel toe.

'Het zijn BIKKELS!' Van blijdschap vallen ze elkaar om de hals. De snoepwinkel, die anders propvol leerlingen van de Toermalijn staat, is leeg.

'Weet je wat jammer is,' zegt Murat. 'Dat onze school de enige is die weet dat hij een racist is.'

'Niet lang meer.' Dorus haalt een krijtje uit zijn zak. Hij wil iets op de winkelruit schrijven, maar het lukt niet.

'Jammer, ik wou racist schrijven, maar dat gaat niet met krijt.'

'Wat dachten jullie hiervan?' Jennifer houdt een lippenstift omhoog.

'Met rood, dat valt helemaal op.' Guido pakt de lippenstift. RAZIST. Hij schrijft het zo groot dat het de hele ruit beslaat.

'Daar heb je de meester. Wegwezen.' Dorus veegt nog gauw de Z weg en maakt er een C van. En dan schiet hij achter zijn vrienden aan een zijstraat in.

'Dit is de beste stunt van deze dag,' zegt Guido als ze naar school lopen.

'Zeker.' Ze zijn er allevijf trots op. 'Nu kan de hele buurt het lezen.'

Maar meester Sjoerd is er niet blij mee. Als ze binnenkomen krijgen ze een preek. 'Was dat nou nodig, dat gekalk op de ruit van de snoepwinkel? Ik vind het jammer. Jullie waren zo goed bezig. De eigenaar gaat naar school bellen, daar kun je op wachten. En dan moet meester Bram hem gelijk geven. Hier kan hij niet achter staan. En ik ook niet. Van andermans spullen blijf je af. Begrijpen jullie dat?'

'Ja meester,' zeggen ze braaf.

Maar meester Sjoerd is nog lang niet uitgepraat. Telkens begint hij weer opnieuw. Achteraf vinden ze het ook dom van zichzelf, vooral omdat ze hun halve gymles door die saaie preek voorbij zien gaan.

Door alle opwinding is Murat vergeten dat hij Zeliha niet hoeft te halen. Als hij zijn agenda in zijn tas stopt en zijn toneelboekje ziet, dan weet hij het weer. Hij moet naar de toneelclub.

'Succes met je hoofdrol,' zegt Guido.

'En speel ze niet allemaal weg, hè?' roept Jennifer.

Zuchtend fietst Murat weg. Ze moesten eens weten hoe erg hij ertegen opziet. Maar hij is niet van plan zich nog eens door Dave op zijn kop te laten zitten. Als hij hem weer uitscheldt dan… Terwijl Murat bedenkt wat hij terug zal zeggen, fietst hij onder het tunneltje door.

'Ik dacht dat ik jou had gewaarschuwd,' klinkt het naast hem.

Murat slingert even. Hij had Dave niet eens opgemerkt.

'Hoezo: gewaarschuwd,' zegt Murat dapper. 'Je hoeft echt niet te denken dat je de baas over mij bent.'

'Oh, we zijn eigenwijs. Hoe vaak moet ik het nou nog zeggen. Turkies horen niet op het toneel, die moeten oprotten naar hun eigen land.'

Murat probeert zich er niks van aan te trekken. Dave weet niet beter, dat is duidelijk. Maar het doet hem toch pijn. Wat moet hij terugzeggen? Dat dit ook zijn land is. Dat hij hier geboren is? Dat hij net zoveel recht heeft om in Nederland te wonen als Dave? Maar daar heeft hij geen zin in. Hij denkt aan Mohamed. Die is hier niet geboren. Moet hij daarom soms oprotten?

'Als je maar niet zegt dat ik je niet gewaarschuwd heb.' En Dave rijdt door. Bij de uitgang van de tunnel draait hij zich om. 'Hier krijg je spijt van.'

Stom joch, denkt Murat.

Een paar minuten later zet hij zijn fiets tegen de boom. Dit heeft hij tenminste gehad. En hij stapt de repetitieruimte in. Lucien is er nog niet. Murat gaat naast Gijs zitten, die leek hem de vorige keer wel aardig.

'Wat stinkt het hier,' zegt Dave ineens. 'Ruiken jullie dat ook?'

Hij staat op en begint te snuiven. 'Knoflook, het komt uit die hoek.' Snuivend loopt hij Murats kant op. Een eindje van hem vandaan blijft hij staan. 'Als ik het niet dacht. Mama Turk heeft te veel knoflook in het eten gedaan. Ze kunnen jou beter in een gebarenspel laten spelen, dan blijft je mond tenminste dicht.'

Murat schrikt. Zou Dave gelijk hebben? Zou hij echt naar knoflook ruiken? Daves woorden missen hun uitwerking niet. Als Lucien binnenkomt, durft Murat amper zijn mond open te doen om haar gedag te zeggen.

Lucien gaat met een vrolijk gezicht zitten. 'Vandaag moeten jullie eraan geloven. Ik heb een improvisatieopdracht voor jullie bedacht. Luister goed. Moeder wil boodschappen gaan doen. Ze kijkt in haar portemonnee en mist een briefje van tien. Op dat moment komt haar dochter thuis met een nieuwe single. Moeder beschuldigt het kind ervan dat ze het geld heeft gestolen. Er ontstaat een fikse ruzie en dan rent het meisje naar boven. Ze is kwaad op haar moeder en besluit weg te lopen. Ingrid, wil jij de moeder spelen? Dan is Charlotte de dochter.'

Murat vindt het knap wat ze doen. De ruzie ziet er heel geloofwaardig uit.

'Stop!' zegt Lucien als Charlotte kwaad haar kamer inholt. 'Nu komt Charlottes broer. Hij heeft alles gehoord en hij haalt je over te blijven. Murat, ga je gang.'

Murat stapt het toneel op en gaat naast Charlotte zitten. 'Ik wil niet dat je weggaat,' zegt hij. Als hij het publiek inkijkt, ziet hij dat Dave zijn neus dichtknijpt. Mijn adem, denkt Murat. Charlotte mag me niet ruiken. En hij wendt zijn gezicht af.

'Je moet Charlotte wel aankijken als je tegen haar praat,' onderbreekt Lucien het spel.

Murat begint opnieuw. Maar hij denkt alleen maar aan zijn adem. Het lukt hem niet om zich in zijn rol in te leven.

Lucien legt het spel stil. 'Je bent niet echt in vorm, hè? Dave, neem jij het maar van Murat over.'

Met een triomfantelijk gezicht neemt Dave Murats plaats in.

'Goed zo,' prijst Lucien. 'Dit bedoel ik nou, Murat.'

Murat kan wel huilen. Alles wat hij tijdens de repetitie doet gaat mis. Zelfs als hij de rol van Joey moet lezen. De scène dat Joey uit school komt en ze hem overhalen een pakje weg te brengen, heeft hij thuis een paar keer geoefend. Het ging prima. Maar nu lijkt het nergens op. Misschien heeft Dave wel gelijk en is hij niet goed genoeg.

'Ik haal even een kopje thee.' Lucien loopt de zaal uit.

'Spannend, hè?' zegt Ingrid. 'Ik ben zo benieuwd wie de hoofdrol krijgt.'

'Nou, dat lijkt me wel duidelijk,' zegt Dave met een gezicht alsof het al bekend is.

Iedereen wordt nieuwsgierig. 'Wie dan?'

'Dat Turkie natuurlijk.' En Dave begint heel hard te lachen.

Murat slaat zijn ogen neer. Hij hoopt vurig dat er iemand voor hem opkomt. Maar het blijft stil.

Bevrijdingsdag

Murat had allang aan het ontbijt moeten zitten. Maar hij heeft zich nog niet eens aangekleed. Met zijn spijkerbroek in zijn hand zit hij op bed. Hij ziet ertegenop om naar school te gaan. Hij is bang dat zijn vrienden over de toneelclub beginnen. Hij moet het probleem aanpakken, maar hoe? Als het zo gemakkelijk was, had hij nu wel een oplossing. Hij heeft er de hele nacht over nagedacht.

Was er maar iemand die hij in vertrouwen kon nemen. Zijn ouders wil hij er niet mee lastigvallen. Dan doet hij hun veel te veel pijn. En meester Sjoerd bespreekt het vast met het team. Daar moet hij ook niet aan denken. Hij is Christien niet, die altijd alles in de kring vertelt. Hoewel het hem wel handig lijkt als je zoals Christien bent. Want meestal komt er iemand met een oplossing.

'Yes!' Murat springt op. Hij ziet een uitweg. Hij kan het wél in de kring vertellen. Ze hoeven toch niet te weten dat het over hem gaat…

'Daar is onze topacteur.' Als Murat het schoolplein oprijdt, begint iedereen te klappen.

'Mag ik een handtekening van u?' Jennifer komt met pen en papier aanrennen.

'Ik wil er een op mijn hand,' zegt Katja.

'En ik op mijn bil.' Guido doet net of hij zijn broek laat zakken.

Zonder erop in te gaan, loopt Murat door naar de stalling.

'Hij krijgt verbeelding, jongens,' plaagt Guido. 'Over een tijdje wil hij niet meer met ons praten. Dan moeten we betalen als hij een avondje voor ons vrij-maakt.'

'Krijgen we nog wel te horen hoe het ging?' vraagt Jennifer.

'Ja,' zegt Dorus. 'Vertel er eens over.'

Murat krijgt het benauwd. Het lukt hem niet eens om een smoes te verzinnen.

'Nou, eh… komt er nog wat van of is het top-geheim?' plaagt Guido.

Katja is de enige die haar mond houdt. Ze kijkt Murat onderzoekend aan.

Ik moet hier weg, denkt Murat. 'Ik heb mijn fiets vergeten op slot te zetten,' zegt hij gauw.

Katja kijkt Murat na. 'Volgens mij klopt er iets niet.'

'Hoe bedoel je?' Niemand snapt waar ze het over heeft.

'Ik weet het niet,' zegt Katja. 'We krijgen nooit iets over die toneelclub te horen, dat is toch vreemd?'

'Je kent Murat toch,' zegt Guido. 'Hij is geen opschepper. Wat denk jij nou? Hij maakt het daar helemaal. Maar dat wil hij niet vertellen.'

Jennifer knikt. 'Murat is bescheiden. Als ik zo'n suc-ces zou hebben…'

'Ach,' zegt Guido, 'Murat lijkt op mij. Ik ben ontzettend knap, maar daar blijf ik toch ook heel gewoon onder.'

'Je bent zeker knap,' zegt Jennifer. 'Knap irritant.'

'Wat nou?' Guido geeft haar een klap met zijn rugtas.

'Ruzie?' Murat is bijna blij. Hij vindt alles beter dan dat ze over de toneelclub beginnen.

Lachend laten Jennifer en Guido elkaar los. Ze zijn alweer vergeten waar Katja mee kwam. Maar zo te zien is Katja het niet vergeten. Ze kijkt steeds naar Murat die zich achter zijn dicteeschrift verschuilt.

'Heb je wel zin in vanmiddag?' vraagt ze.

Murat klapt van schrik zijn schrift dicht. Hij hoeft vanmiddag toch niet wéér naar die toneelclub…

'Vandaag is het bevrijdingsdag,' zegt Guido.

Nu weet Murat wat Katja bedoelt. Ze gaan de hond bevrijden. Hij heeft geluk dat Zeliha naar een partijtje is. Als hij haar moest halen, had hij niet eens mee gekund. 'Natuurlijk heb ik er zin in,' zegt hij. 'Voor jou is dit helemaal een feestdag.'

Katja knikt. Maar ze ziet er een stuk minder stralend uit dan voordat Murat er was.

'Ik had nooit gedacht dat het ons zou lukken die hond daar weg te krijgen,' zegt Jennifer.

'Ik ook niet,' zegt Guido. 'Maar achteraf was het een fluitje van een cent. Een paar telefoontjes en die Boendemaker was om.'

'Niet zomaar telefoontjes. Wel van Murat.' Katja kijkt naar Murat, maar hij reageert niet.

Als de anderen de school ingaan, pakt ze zijn hand. 'Er is toch niks met je… Je bent zo stil.'

Murat kijkt in Katja's lieve ogen. Kon hij het haar maar vertellen. Hij trekt een onverschillig gezicht en haalt zijn schouders op. 'Gewoon slecht geslapen, meer niet.' En hij loopt naar binnen.

'Guido, jij had iets op je hart,' zegt meester Sjoerd als ze in de kring zitten.

Guido knikt. 'Ik wou even zeggen dat het heel goed met onze boycot gaat. We hebben gisteren nog wat pamfletten gekopieerd en op de Keerkring uitgedeeld. We spraken daar twee jongens van de redactie van de schoolkrant. We hebben een afspraak met hen gemaakt. Ze gaan het in hun schoolkrant zetten met een stuk over racisme. Want daar op school schijnen nog een paar eikeltjes te zijn die denken dat discrimineren stoer is.'

'Fantastisch.' Iedereen is blij.

'Nog iemand die hierop wil reageren?' vraagt meester Sjoerd.

Nu moet ik het vragen. En Murat steekt zijn vinger op. 'Ik, eh… ik wil jullie een probleem voorleggen. Gisteravond belde mijn neef op. Hij zat heel erg in de put. Hij is hartstikke goed in softbal. Hij is geselecteerd voor een belangrijk toernooi. Maar, eh… in dat team zit een jongen die hem discrimineert. En niemand neemt het voor hem op. Die jongen zet hem telkens voor paal. Hij kan heel goed werpen, maar door die jongen kan hij zich niet meer in zijn rol inleven.' Murat herstelt zich vlug. 'Ik bedoel, door die jongen gooit hij steeds mis.' Murat denkt dat de verspreking niemand opvalt, maar Katja's gezicht betrekt.

'Wat moet mijn neef nou?' vraagt Murat. 'Hij wil al met softbal ophouden.'

'Dat moet hij natuurlijk nooit doen,' zegt meester Sjoerd. 'Hij moet niet voor zijn probleem op de vlucht gaan. Maar ik geef toe dat het niet gemakke-lijk is. Dat team durft niet voor hem op te komen.'

'Waar woont die gast?' Guido is woedend. 'Dan wachten we hem wel even op.'

'Nee Guido,' zegt meester Sjoerd. 'Geen geweld. Bovendien moeten wij ons erbuiten houden. Het gaat om dat team. Als die kinderen het niet meer pikken, krijgt dat joch geen kans. En dat zal je neef hun moeten laten inzien.'

'Mijn neef?'

'Ja,' zegt meester Sjoerd. 'Dat lijkt me wel het beste. Jullie weten wat ik altijd zeg als er iets is. Probeer eerst of je het zelf kunt oplossen. Mocht je er niet uitkomen, dan kom je naar mij toe.'

Dus ik moet er zelf voor zorgen dat ze voor me opkomen. Murat vraagt zich af hoe hij dat voor elkaar moet krijgen.

De hele ochtend blijft het door zijn hoofd tollen.

'Je hebt niet veel gedaan,' zegt meester Sjoerd als hij Murats rekenschrift inkijkt. 'Komt dat doordat je je zorgen maakt over je neef?'

Murat knikt.

Katja kijkt Murats kant op. Het lijkt erop dat ze iets doorheeft, maar ze zegt niks.

Het verhaal over de neef van Murat heeft wel indruk gemaakt. Na schooltijd begint Guido erover. 'Rot voor je neef, hè?'

'Weet je wat ik niet snap?' zegt Jennifer. 'Dat zijn vrienden hem niet helpen.'

Dorus knikt. 'Dat vind ik nou ook. Lekkere vrienden, ze laten hem zo zakken.'

Hier had Murat niet op gerekend. Hij heeft niet meteen een antwoord klaar.

'Misschien denken die vrienden wel dat hij het daar heel tof heeft,' zegt Katja. 'Het kan toch dat hij hun niks heeft verteld?'

Murat slaat zijn ogen neer. Hij ziet niet dat Katja hem opneemt.

'Ja, hoe zit dat eigenlijk?' vraagt Guido. 'Houdt hij het echt geheim voor zijn vrienden?'

Murat voelt zich elke seconde benauwder worden. 'Dat weet ik niet, hoor.'

'Jij bent ook een rare,' zegt Guido. 'Zoiets zou ik meteen vragen.'

'Ik ook,' zegt Jennifer.

Murat weet niet hoe hij zich hieruit moet redden.

Gelukkig kapt Katja het gesprek af. 'We gaan de hond halen.' En ze trekt Murat mee.

'Dit is een historisch moment,' zegt Dorus. 'Over enkele minuten gaat *Operatie-Hond* beginnen. Maar wel met beleid graag. Het is niet de bedoeling dat we als kwijlende dierenliefhebbers die tuin bestormen.'

'Nee,' zegt Guido. 'De buurvrouw mag niks merken.'

'Juist,' zegt Dorus. 'We gaan nu de taken verdelen.

Eerst kijk ik of de kust veilig is, je weet maar nooit. Dan nemen Murat en Guido het huis van de buurvrouw voor hun rekening. Murat de achterkant en Guido de voorkant. Als alles veilig is, kunnen Katja en Jennifer het beest uit het hok halen. Zonder te praten.' Voor de grap doet Dorus Katja na. '"Oh, hoepiedoepie van me, wat ben ik blij je te zien..." Dat dus niet. Jullie houden je doodstil.'

'Ja, baas,' zegt Katja.

'Dan gaan we nu tot *Operatie-Hond* over,' zegt Dorus plechtig.

Ineens vinden ze het toch een beetje eng. Dorus hoeft niet eens te zeggen dat ze hun mond moeten houden. Elke meter die ze dichter bij het Achterpad komen worden ze stiller.

Op de hoek blijven ze staan. Dorus zet zijn fiets op de standaard. Vol spanning volgen ze hun vriend die langs de huizen loopt. Als hij bij nummer veertien is, gluurt hij naar binnen. Een eindje verderop keert hij om en loopt terug.

'Ik geloof dat de kust veilig is. Maar om het zeker te weten zullen we de achterkant ook moeten inspecteren.' En Dorus wenkt Murat.

Murat en Dorus lopen het gangetje in. Een eindje van het hek blijven ze staan. Dorus drukt zich tegen het muurtje, rekt zich uit en gluurt de tuin in.

Murat ziet het aan de schrik in Dorus' ogen. Er is iets goed mis. Achter zijn vriend aan schiet hij het gangetje uit. Katja denkt meteen het ergste. 'Is hij dood?'

'Die vent is thuis,' zegt Dorus. 'We zullen ons plan

moeten uitstellen tot morgen.'

'Maar die Boendemaker gaat er wel vanuit dat Boontjes nu komt,' zegt Murat.

Dorus knikt. 'We bellen hem af, verderop is een telefooncel.'

Zodra ze er zijn, haalt Murat zijn telefoonkaart uit zijn zak. Hij telt tot drie en toetst het nummer.

Dorus heeft het goed gezien. 'Met Boendemaker,' klinkt het aan de andere kant van de lijn.

'U spreekt met Boontjes,' zegt Murat. 'Ik zit met een spoedgeval. Ik kan helaas niet komen. Ik wil de afspraak verzetten naar morgen. Het spijt me heel erg.'

'Mij ook,' zegt meneer Boendemaker. 'Ik ben speciaal thuisgebleven om u te ontmoeten. Ik ben heel benieuwd wie u bent.'

'Ik ben van de dierenbescherming,' zegt Murat.

'Oh ja?' vraagt Boendemaker. 'Weet u dat wel zeker?' Even blijft het stil en dan zegt hij: 'Ik heb vanochtend met de dierenbescherming gebeld, maar de naam Boontjes kennen ze daar niet.'

Help! Murat verschiet van kleur. 'Oh.' Het is het enige dat hij kan uitbrengen en dan hangt hij op.

Geheim

Murat is op weg naar school als Katja naast hem komt rijden.

Hij moet lachen als hij haar ziet. Ze gaat weer op hondenbezoek, denkt hij. Anders zou ze nooit zo vroeg zijn.

'Heb je al een oplossing?' vraagt Katja.

'Was het maar waar,' zegt Murat. 'Wat een misser was dat, hè? Wie had nou gedacht dat die vent de dierenbescherming zou bellen.'

'Ik heb het niet over Boendemaker,' zegt Katja. 'Ik heb het over je neef.'

Murat had gehoopt dat ze het was vergeten. 'Ik heb er niet meer aan gedacht,' zegt hij gauw.

'Ik wel. Je neef moet het aan zijn vrienden vertellen. Ik zou het heel erg vinden als mijn vriend werd gediscrimineerd. Ik zou hem willen helpen.'

Murat ziet dat Katja hem aankijkt. Hij voelt de spanning. Maar wat moet hij zeggen?

Als ze voor het stoplicht staan, legt Katja haar hand op Murats stuur. 'Jij zou het toch ook aan mij vertellen als je zo'n probleem had?'

'Ja, eh… nee, ik weet het niet. Nooit over nagedacht.' Murat hoort zichzelf stuntelen. Waarom maakt Katja het hem zo moeilijk?

'Ik snap dat het heel verdrietig is,' zegt Katja. 'Maar

ik zou het willen weten. Daar ben ik je vriend voor.'

'Jij zou er toch ook geen oplossing voor hebben?' vraagt Murat voorzichtig.

'Misschien niet,' zegt Katja. 'Maar dan eh… dan konden we er tenminste nog samen om huilen.'

Murat voelt dat het hem te veel wordt.

'Dat is toch zo?' Katja kijkt hem aan.

Murat denkt aan die dag dat hij te horen kreeg dat Zeliha doof was. Hij wou het nog een poosje voor zich houden. Maar toen keek Katja ook zo lief naar hem. En ineens vertelde hij het toch. Maar dit mag ze niet weten. Nooit. Hij wil niet dat ze hem zielig vindt. Dan wordt ze nooit meer verliefd op hem.

Murat trapt op zijn rem.

'Wat is er?' vraagt Katja.

'Zeliha's broodtrommeltje zit nog in mijn rugtas. Ik moet terug. Tot zo.' En hij keert om en rijdt weg.

Murat is allang op school als Katja komt aanrijden.

'Jullie raden nooit wat die dierenbeulen nu weer hebben gedaan!' Ze neemt niet eens de tijd om haar fiets weg te zetten en laat hem zomaar vallen.

Guido moet lachen, maar Murat ziet dat Katja bijna huilt.

'Nou, Boendemaker hoeft niet bang te zijn dat zijn buren nog klagen.'

'Hoe bedoel je?' Dorus haalt zijn notitieboekje al te voorschijn.

'Dat beest kan niet eens meer blaffen. Ze hebben zijn bek dichtgebonden met een muilkorf. Die dierenbeulen hoeven niet te denken dat ik dat toelaat.'

'Je gaat toch niks geks ondernemen, hè?' vraagt Dorus.

'Ik weet niet wat jij gek vindt, maar ik haal die hond daar weg.' Katja klinkt beslist.

'Dat doe je niet.' Anders is Murat nooit zo fel, maar hij wil niet dat Katja moeilijkheden krijgt. 'Je mag hem niet ontvoeren. Wil je de politie soms achter je aan krijgen?'

'Jullie met je politie.' Katja is geïrriteerd. 'Het gaat hier om dierenmishandeling, hoor.'

Guido en Jennifer voelen er ook wel voor om de hond weg te halen, maar Dorus is het met Murat eens. 'Zoiets komt altijd uit. Die Boendemaker geeft het natuurlijk aan als zijn hond weg is. Je kunt bij het uitlaten toch niet elke keer wegduiken als er een agent aankomt. Stel je voor dat ze het pas na een jaar ontdekken. Dan ben je allang aan dat beest gehecht en moet je hem alsnog afstaan. Alsof dat leuk is.'

'Er komt heus wel een nieuw plan,' zegt Murat. 'Maar je moet beloven dat je geen domme dingen doet.'

Katja knikt, maar het ziet er niet erg overtuigend uit.

'Zweer je het?' vraagt Murat.

Katja steekt twee vingers op. 'Ik zal geen domme dingen doen, papa.'

Gelukkig moeten ze nu weer lachen.

'Toch moet hij daar weg.' Katja raapt haar fiets op.

'Natuurlijk moet hij daar weg.' Dat vinden ze alle vijf. Ze wachten tot Katja haar fiets in het rek heeft gezet en dan lopen ze naar binnen.

Op de gang zien ze meester Sjoerd met meester Bram praten.

'Dat zullen ze een verrassing vinden,' horen ze meester Sjoerd zeggen. Ze gaan gauw de klas in.

'U hebt een verrassing!' roepen ze als de meester binnenkomt.

Meester Sjoerd snapt er niks van. 'Hoe weten jullie dat?'

'Dat zien we aan uw gezicht,' zegt Mohamed.

'Ja,' zegt Luuk. 'U kijkt zo vrolijk.'

De meester doet alsof hij beledigd is. 'Bedankt hoor, dus anders kijk ik chagrijnig?'

'Nee, dat nou ook weer niet. Eerder mopperig, maar dat hoort bij bejaarden.' Na die woorden duikt Guido gauw weg achter Jennifer.

'Het is dat ik bang voor Jennifer ben, maar anders…' Lachend pakt meester Sjoerd zijn tas uit. 'Ik heb inderdaad een verrassing, maar jullie moeten nog even geduld hebben. Eerst moet ons taalboek uit.'

'Dan zitten wij ons maar af te vragen wat de verrassing is. Nou, dan kunnen we helemaal niet ontleden,' zegt Guido. 'Zoiets vertel je toch eerst, dat is veel beter.'

'Beloven jullie dat jullie daarna meteen aan het werk gaan?'

'Natuurlijk,' zegt Jennifer. 'Wedden dat het dan veel beter gaat?"

'Goed dan.' Meester Sjoerd gaat op zijn tafel zitten. 'Meester Bram is gisteravond opgebeld door een journalist van de krant. Hij wil een interview met jullie.'

'Over onze superactie? Nou, dan kan die eigenaar zijn winkel zeker sluiten.'

'De actie is de aanleiding,' legt de meester uit. 'Maar het gaat hem er vooral om hoe jullie over vooroordelen denken. En de manier waarop jullie dat hier op school aanpakken.'

'Wanneer komt hij?' Ze kijken naar de deur.

'Na schooltijd,' zegt de meester. 'Eerder kon hij niet. Ik hoop dat het jullie uitkomt.'

'Mij niet,' zegt Murat. 'Ik moet Zeliha van school halen.'

'Moet je meteen weg?' vraagt de meester.

Murat knikt.

'Maar Murat moet wel met ons op de foto,' zegt Katja.

'Als er een fotograaf aan te pas komt, dan zorg ik ervoor dat het onder schooltijd gebeurt,' belooft de meester. 'Kunnen we nu aan het werk?'

'Natuurlijk niet,' zegt Guido. 'Wie kan er nou ontleden als je net zo'n verrassing hebt gehoord?'

Nu begint de rest van de klas ook te plagen. 'Eigen schuld, dan had u het nog maar even voor u moeten houden.'

Murat vindt het jammer dat hij niet bij het interview kan zijn. Hij loopt in zijn eentje het fietsenhok in. Naast zijn fiets staat die van Katja. Hij krijgt een warm gevoel. Als hij niet zo verlegen was, zou hij een

briefje onder haar snelbinder stoppen. 'Ik ben verliefd op je.' Maar dat durft hij niet. Murat denkt aan
het gesprek in de klas. Katja vond dat hij ook op de
foto moest… In gedachten ziet hij Katja voor zich
met het krantenknipsel in haar hand. Maar ze leest
niet, ze kijkt alleen naar de foto. En ineens zoent ze
hem… Murat is blij dat niemand zijn gedachten kan
lezen. Wat verbeeldt hij zich wel? Katja zit heus niet
op hem te wachten. Ze kan wel iets beters krijgen.

Als hij bij het hek op zijn fiets wil stappen, blijft hij
als versteend staan. Aan de overkant van de straat
staat Dave, met twee vrienden. Hij ziet dat Dave zijn
vrienden aanstoot. Dus ze komen voor hem. Murat
hoopt dat ze dit alleen doen om hem bang te maken.
Alsof er niks aan de hand is rijdt hij weg, maar hij is
wel op zijn hoede. Aan het eind van de straat gluurt
hij achterom. Nu is het duidelijk; ze volgen hem. Als
ze een eindje verderop nog achter hem rijden, raakt
Murat in paniek. Wat willen ze van hem? Hij moet
Zeliha halen. Stel je voor dat ze haar iets aandoen. Er
gaat een rilling door hem heen. Ze mogen niet te
weten komen op welke school ze zit. Zeliha moet
maar even wachten. Eerst moet hij dat stel zien kwijt
te raken.

Hij slaat gauw rechtsaf en rijdt in de richting van de
brug. Eigenlijk moet hij hier naar links, maar hij gaat
rechtdoor. Het besef dat ze hem op de hielen zitten,
maakt hem bang. Als Dave alleen was, kon hij hem
wel aan. Maar Dave heeft die vrienden vast niet voor
niks meegenomen.

Murat ziet in een winkelruit dat ze vlak achter hem zitten. Hij moet ze kwijtraken. Hij neemt een sprint. Het stoplicht springt op rood, maar hij racet door. Als hij achterom kijkt, ziet hij dat die drie ook door het rode licht rijden.

Rot op! denkt Murat. Ik heb jullie toch niks gedaan? Niets helpt. Of hij nou voor een taxi langs crost of zich achter een bus verschuilt, ze blijven hem volgen. Murat raakt er steeds meer van overtuigd dat ze iets van plan zijn, anders waren ze allang omgedraaid. In paniek slaat hij linksaf en dan meteen weer rechts en weer links. Murat sjeest kriskras door de stad. Hij weet niet eens meer waar hij rijdt. Deze buurt kent hij helemaal niet. Hijgend schiet hij onder een poortje door. Dan kijkt hij achterom. Hij durft het bijna niet te geloven, maar het lijkt erop dat ze weg zijn. Voor de zekerheid verstopt hij zich achter een bosje. Hij wacht drie minuten, maar er is niemand te zien. Murat zucht opgelucht. Hij heeft ze van zich afgeschud. Hij trilt over zijn hele lichaam en zijn T-shirt is kletsnat. Hij kijkt op zijn horloge. Door al dat gedoe is hij veel te laat. Trouwens, waar is hij eigenlijk?

Murat vraagt aan een vrouw die de ramen zeemt: 'Kunt u ook zeggen hoe ik in het centrum kom?'

'Het centrum? Dat is nog een behoorlijk eindje, jongen.' En de vrouw legt Murat uit hoe hij moet rijden. Zo snel als hij kan fietst Murat naar Zeliha's school. Erg veilig voelt hij zich niet. Af en toe kijkt hij om, maar hij ziet niemand.

Hijgend komt hij bij Zeliha's school aan. Het school-plein is uitgestorven en de voordeur zit dicht. Murat drukt op de bel. Hij kan zijn handen nog steeds niet stilhouden.

'Ik kom voor Zeliha,' zegt Murat als het hoofd van de school opendoet.

'Je bent wel laat, Murat,' zegt meneer Koper. 'Zeliha heeft heel lang op je gewacht. Alle kinderen waren al opgehaald en toen was je er nog niet. Juf Loes dacht dat je het was vergeten. Ze heeft Zeliha zelf thuis-gebracht.'

Zuchtend loopt Murat weg. Zijn vader is streng. Als die hoort dat hij Zeliha heeft laten wachten, zwaait er wat.

Als Murat de winkeldeur opendoet, ziet hij het al aan zijn vaders gezicht. 'Waar kom jij vandaan?' vraagt hij.

'Ik, eh…' Murat wil zijn vader geen pijn doen. 'Ik moest nablijven,' verzint hij gauw.

Zijn vader wordt boos. 'Wat moeten ze wel denken dat Zeliha niet is opgehaald. Juf Loes heeft haar zelf hier gebracht. Ga maar naar boven. Voorlopig wil ik je niet zien.'

Bedreigd

Murat neemt 's morgens expres een andere weg naar school. Hij wil Katja niet tegenkomen. Hij heeft een gevoel dat hij bij haar zo begint te huilen. Gelukkig is zijn vader niet kwaad meer op hem. Dat is tenminste nog iets. Maar zolang dat gedoe met Dave niet is opgelost, durft hij Zeliha niet van school te halen. Hij heeft tegen zijn ouders gezegd dat hij een extra toneelrepetitie heeft. Achteraf had hij beter iets anders kunnen verzinnen. Hamide vroeg meteen of ze mee mocht rijden. Ze wil bij haar nichtjes spelen en die wonen vlak bij de toneelclub. Omdat zijn ouders erbij zaten, moest hij wel zeggen dat het goed was. Maar dat gaat natuurlijk niet door. Als Dave hen samen ziet, is Hamide ook niet veilig meer. Hij vertelt haar straks wel dat ze niet mee kan. Hamide is dol op snoep. Als hij een lolly voor haar koopt, houdt ze vast haar mond.

Murat rijdt het schoolplein op en zet zijn fiets in het rek.

'Je hebt gisteren een flitsend interview gemist!' zegt Guido.

Dat is waar ook. Murat was de journalist helemaal vergeten.

'We krijgen een halve pagina,' zegt Dorus.

'En weet je wanneer het in de krant komt?' Katja

kijkt hem stralend aan. 'Zaterdag, op mijn verjaardag.'
'Wat goed!' Murat probeert enthousiast te reageren,
maar het boeit hem niet echt. Als Dorus over het
interview vertelt, dwalen zijn gedachten af.
'Hoe vinden jullie mij?' Jennifer komt aanlopen. Ze
ziet er heel stoer uit. 'Kan ik zo op de foto?'
'Moeten we op de foto?' vraagt Murat.
'Vanochtend komt er een fotograaf van de krant,'
zegt Dorus.
'Het wordt een superactie!' zegt Guido. 'Wedden dat
we ook in het jeugdjournaal komen?'
'Oh ja,' zegt Dorus. 'Voordat ik het vergeet: vanmiddag vergaderen we bij mij. Er staan twee belangrijke
punten op het programma. Eén: hoe gaan we verder
met de actie. En twee: hoe pakken we het aan met de
hond. Maar jij kunt natuurlijk niet.'
'Nee.' Murat laat het maar zo.
Dorus legt hem uit waar de vergadering over gaat,
maar het gaat langs Murat heen. Hij kijkt naar Hamide die touwtjespringt. Ineens bedenkt hij dat hij
haar nog moet vertellen dat ze niet mee kan rijden.
En hij loopt midden in het gesprek weg.
Zijn vrienden kijken hem verbaasd na. 'Wat is er met
hem?' vraagt Jennifer.
Dorus en Guido vinden ook dat Murat vreemd doet.
'Hèhè,' zegt Katja, 'krijgen jullie het eindelijk door?
Ik zei toch al dat er iets niet klopte met die toneel-
club. Maar daar komen we gauw genoeg achter.'
'Hoe had je dat gedacht?' vraagt Dorus.
'Ssst…' sist Katja. 'Daar komt hij aan.'

Murat heeft bijna de hele dag aan Dave gedacht. Alleen toen de fotograaf kwam, was hij het even vergeten. Hij is bang voor Dave. De bel is allang gegaan als Murat nog bezig is zijn tas in te pakken. Het valt meester Sjoerd ook op.

'Er is toch niks?' vraagt hij. 'Je weet het: daar ben ik ook voor.'

Murat aarzelt. Zal hij de meester in vertrouwen nemen? Net op dat moment steekt Dorus zijn hoofd om de deur. 'Als je nog met ons mee wil rijden moet je snel zijn.'

Murat staat meteen bij de deur. Hij was vergeten dat ze afgesproken hadden een stuk samen te fietsen. Dat scheelt, Dave durft me vast niks te doen als mijn vrienden erbij zijn, denkt Murat.

Achter Dorus aan, loopt Murat naar buiten. Vol spanning kijkt hij naar het hek. Zijn hart bonkt in zijn keel als hij het schoolplein afrijdt. Hij kijkt schichtig om zich heen, maar Dave ziet hij niet. Opgelucht haalt Murat adem.

Het komt doordat Katja naast hem rijdt, anders had hij vast nog een keer omgekeken. En dan had hij gezien dat Dave en zijn vrienden achter een geparkeerde auto vandaan kwamen.

Katja gaat steeds langzamer fietsen. 'Hoe is het eigenlijk met je toneelclub?' vraagt ze als niemand hen meer kan verstaan.

'Oh, eh… goed natuurlijk. Ja, heel goed,' zegt Murat.

'Weet je,' zegt Katja. 'Ik wil een keer mee naar zo'n repetitie. Dat mag toch wel?'

'Eh… ja, eh… natuurlijk wel.' Murat valt van schrik zowat van zijn fiets.

'Dit keer moet je toch op zaterdag?' vraagt Katja. 'Zal ik dan meegaan?'

'Dan ben je jarig,' zegt Murat.

'Juist leuk. 's Morgens komt er toch niemand.'

Murat weet zo gauw geen uitvlucht.

'Afgesproken dan,' zegt Katja als Murat geen antwoord geeft.

Dit mag niet doorgaan, denkt Murat. Ik moet er iets op bedenken.

Guido crost de stoep op. 'Even een bezoekje brengen aan de supermarkt.'

'Er is echt niet ineens een drumstel te koop,' zegt Dorus die liever doorrijdt.

'Je weet maar nooit.' Guido zet zijn fiets neer en rent naar binnen.

'Je hebt er een?' roept Jennifer blij als ze het kaartje in Guido's hand ziet. 'Wat kost hij?'

'Honderd piek,' zegt Guido.

'Honderd piek maar? Doen natuurlijk!' zeggen ze.

'Het is alleen niet voor een drumstel, maar voor een hond.' Guido leest de advertentie voor. 'Wegens omstandigheden te koop aangeboden, bruine langharige bastaard van negen maanden oud. Honderd gulden. Inlichtingen: 5149201.'

Dorus en Murat herkennen het telefoonnummer meteen. 'Dat is de hond van Boendemaker…'

'Wát?' Katja grist het kaartje uit Guido's handen. 'Gaan ze hem verkopen?'

Murat ziet de schrik op Katja's gezicht. Was hij maar rijk, dan kocht hij hem voor haar. Maar hoe komt hij aan honderd gulden?

'Wat een tuig.' Guido is woedend. 'Eerst martelen ze dat dier en nu moeten ze er nog geld voor hebben ook.'

'We hebben één voordeel,' zegt Dorus. 'Honderd gulden is erg veel. Er zal niet snel iemand op afkomen. Ze willen hem blijkbaar kwijt. Als er niemand belt, doen ze hem misschien gratis weg.'

'Ik weet zeker dat het hun niet lukt,' zegt Jennifer. 'Je mag er nog minstens honderd gulden bij optellen voor de dierenarts. Dat beest is hartstikke ziek. Wedden dat dat kaartje er over drie weken nog hangt?'

'Denk je dat echt?' Katja loopt de supermarkt in om het kaartje terug te hangen.

'Zullen we?' vraagt Dorus als Katja naar buiten komt.

'Ik moet hier naar rechts.' Murat zwaait naar zijn vrienden die rechtdoor rijden. Als hij wist wie er achter hem reden, was hij wel bij de anderen gebleven.

Dave en zijn vrienden racen de hoek om. Op het moment dat ze Murat willen inhalen, steekt er een vrouw over. Murat kijkt de vrouw aan en ziet dan dat het Katja's moeder is.

'Oh, Murat,' zegt ze, 'ik wil je iets vragen. Het gaat over Katja. Jullie zijn toch vrienden?'

Waarom vraagt ze dat? denkt Murat. Heeft ze soms liever niet dat haar dochter met een Turk omgaat?

'Ja, we zijn vrienden,' zegt hij.

'Dan weet jij misschien wat er met haar is. Ze is de laatste dagen zo somber. Heeft ze met iemand ruzie of zo?'

'Nee,' zegt Murat.

'Wat is er dan?' vraagt mevrouw Groeneveld.

Murat voelt dat hij rood wordt. Wat moet hij nou? 'Ik denk dat Katja u dat beter zelf kan vertellen,' zegt hij.

Mevrouw Groeneveld schrikt. 'Is het zo ernstig?'

Murat heeft meteen spijt van zijn woorden. Zo heeft hij het ook weer niet bedoeld. Nu kan hij het beter zeggen. En hij vertelt Katja's moeder het verhaal van de hond.

'Nu snap ik het tenminste,' zegt mevrouw Groeneveld. 'Katja trekt zich zulke dingen heel erg aan.'

Murat knikt. 'We hebben net ontdekt dat ze de hond gaan verkopen. Er hangt een briefje in de supermarkt.'

Mevrouw Groeneveld schudt haar hoofd. 'Zo'n ziek beest, je snapt zulke mensen niet. Bedankt, Murat, en tot zaterdag.'

Murat rijdt door. Hij fietst nog geen drie minuten als hij klem wordt gereden. Wat gebeurt er? Er wordt aan zijn stuur gerukt. Als Murat opkijkt, ziet hij Dave met zijn vrienden. Murat snapt niet waar ze ineens vandaan komen, maar hij ziet geen kans om te ontsnappen.

'Wat moeten jullie van me?'

'Turkie weet best wat ik wil,' zegt Dave. 'Je moet oprotten uit de toneelclub. Je snapt het niet, hè? Niemand wil naar een toneelstuk kijken met een Turk erin.' Dave houdt zijn gezicht vlak bij Murat. 'Jullie Turkies begrijpen nooit iets. Jullie willen alles inpikken. De baan van mijn vader hebben jullie ook ingepikt.'

Murat ziet de haat in Daves ogen. 'Ik wil helemaal niks inpikken.'

'Zo mag ik het horen. Dan bel je morgen naar de toneelclub om te zeggen dat je niet meer komt, begrepen?'

Dit gaat Murat te ver. Wat denkt die Dave wel. 'Dat mocht je willen.'

Hij heeft de woorden nog niet uitgesproken of hij krijgt een stomp op zijn neus.

Murat houdt zijn hand voor zijn neus. Hij voelt dat hij bloedt.

'Dit is pas het begin,' zegt Dave. 'Je bent gewaarschuwd.' Hij laat Murats fiets los en rijdt weg.

Murat haalt zijn zakdoek uit zijn zak en drukt zijn neus dicht. Dat helpt, het bloeden stopt.

Hij kijkt Dave en zijn vrienden na. Hij kan het maar beter opgeven. Waar wacht hij nog op? Tot ze hem helemaal in elkaar slaan? En overmorgen moet hij Zeliha echt weer zelf ophalen. Hij voelt dat zijn neus dik wordt. Het is gelukkig zíjn neus en niet die van zijn zusje. Morgen belt hij Lucien op om te zeggen dat hij niet meer komt. Hij moet alleen wel een goede reden verzinnen. Tegen zijn vrienden zegt hij gewoon dat hij niet meer mee mag doen van zijn ouders. Dat het veel te veel tijd kost. Maar het is te gevaarlijk om die smoes tegen Lucien op te hangen. Of tegen meester Sjoerd. Stel je voor dat ze naar zijn huis bellen om te vragen of hij toch mee mag doen. Meester Sjoerd zal het wel jammer vinden. Maar ja, alsof hij het zelf niet jammer vindt… Hij wil acteur worden. Hij wil in een film spelen. Murat ziet zijn droom in rook opgaan. Hij zal iets anders moeten vinden wat hij leuk vindt. Hij staart verdrietig voor zich uit. Zal hij hier niet altijd tegenaan lopen? Er zijn toch overal mensen die discrimineren?

Murat is niet eens echt kwaad op Dave. Die kan er vast niks aan doen dat hij zo denkt. Het komt door- dat zijn vader Turken overal de schuld van geeft. Eerst zei Luuk uit hun klas ook altijd lelijke dingen over buitenlanders. Met zijn allen hebben ze ervoor gezorgd dat hij anders ging denken. En nu komt hij Dave weer tegen.

Ineens wordt Murat boos. Waarom zijn zijn ouders niet in Turkije gebleven? Dan waren ze wel arm, maar dit is toch veel erger. Opeens bedenkt hij dat hij dan Katja nooit had ontmoet. En zijn vrienden ook niet. In Turkije staat geen Toermalijn met meester Sjoerd. Nee, hij zou niet in Turkije willen wonen. Hij kan zijn vrienden niet missen.

Murat kijkt naar een paar jongens die voetballen. Was ik maar zoals zij, denkt hij, was ik ook maar wit... Hij schrikt er zelf van. Hij voelt het als een verraad tegenover zijn familie.

Murat weet niet wat hij wil. Hij wil niet wit zijn, maar hij wil ook geen Turk zijn. Hij voelt de tranen over zijn wangen lopen. Hij wou dat hij niemand was, helemaal niemand.

De opdracht

Murat houdt het nog even voor zijn vrienden geheim
dat hij van de toneelclub afgaat. Hij wacht met vertellen tot hij Lucien heeft gebeld. Hij weet dat het vanmiddag moet gebeuren, maar hij heeft nog geen
goede reden bedacht. Onder de les piekert hij erover.
'Weet je waar ik zin in heb?' vraagt Jennifer als ze
naar buiten lopen. 'In drop.'
Guido houdt zijn hand op. 'Geef maar geld, dan ga ik
wel even naar het snoepwinkeltje.'
'Het snoepwinkeltje...' Ze kijken Guido verontwaar-
digd aan. 'Ben je onze actie vergeten?'
'Heus niet,' zegt Guido. 'Maar voor één keer kan het
toch wel?'
'Wat denk jij nou?' Ze vliegen Guido bijna aan, maar
dan begint hij te lachen. 'Geintje.'
'Voor straf moet je naar de supermarkt om drop te
kopen.' Jennifer geeft haar portemonnee aan Guido.
'Mij best.' Guido is al weg. Na een poosje komt hij
terug, zonder drop.
'Hadden ze geen drop?' vraagt Murat.
'Jawel,' zegt Guido. 'Maar ik denk niet dat iemand
daar nog zin in heeft. Het kaartje van de hond hangt
er niet meer.'
'Dat kan niet. Heb je echt goed gekeken?' vraagt
Murat.

'Natuurlijk,' zegt Guido. 'En het is ook niet van het prikbord gevallen. Er lag niks op de grond.'

Ze denken allevijf hetzelfde. De hond is verkocht.

'Zie je nou?' zegt Katja. 'Had ik hem maar wel ontvoerd… Nu ben ik hem voorgoed kwijt…'

Murat ziet dat er tranen in haar ogen staan. Hij wil haar troosten, maar wat moet hij zeggen? Dat het beestje het bij zijn nieuwe baas vast beter krijgt? Dat weet ze zelf ook wel, maar ze mist hem toch.

Murat vindt het moeilijk om Katja verdrietig te zien. Als hij thuiskomt, heeft hij maagpijn. Maar dat komt ook doordat hij Lucien moet bellen. Hij gaat zeggen dat hij heeft ontdekt dat toneelspelen niks voor hem is. Hij telt tot drie en pakt de telefoon. Maar als hij het derde cijfer heeft gedraaid, legt hij de hoorn neer. Hij hoort de stem van meester Sjoerd in zijn oor. 'Nee, je neef moet niet voor zijn probleem op de vlucht gaan…' Murat zucht. Moet hij soms gewoon naar de toneelclub gaan alsof er niks is gebeurd? Dat kan niet eens. Hij heeft niks voorbereid. Het is zijn beurt om een improvisatieopdracht te bedenken. Alsof hij nu in de stemming is om iets te verzinnen.

Ineens veert Murat op. Hij hoeft helemaal niks te verzinnen. Hij legt de groep zijn eigen situatie voor. Hij beseft dat het hoog spel is, maar hij wil het toch. Hij pakt pen en papier en begint te schrijven. Van opwinding gaan zijn gedachten heel snel. Zijn vingers kunnen het amper bijhouden.

Murat racet de stad door en kijkt ondertussen op de

torenklok. Het is al laat, Dave denkt vast dat hij niet meer komt. Dat zal hem lelijk tegenvallen.

Murat gniffelt. Maar als hij eenmaal voor de deur van het witte gebouw staat, weet hij niet meer of het wel zo'n goed idee is. Nu kan hij nog terug. Eén telefoontje en hij is overal van verlost. Maar dan heeft hij zich wel laten wegpesten. En van dat gevoel komt hij nooit meer af. Hij haalt diep adem en stapt naar binnen.

'Ga maar gauw zitten,' zegt Lucien. 'Ik wou net beginnen. Heb je nog aan je opdracht gedacht?'

Murat haalt het papier uit zijn zak. Vol spanning kijkt hij naar Lucien die het openvouwt. Nog even en de hele groep weet wat hij heeft geschreven. Ineens krijgt hij spijt. Hij zou het papier wel uit haar handen willen rukken, maar het is al te laat.

'Luister goed.' En Lucien begint te lezen. 'Een Surinaamse jongen kan heel goed softballen. Hij mag meedoen aan een belangrijk toernooi. Een van de jongens uit het team discrimineert hem. Iedereen hoort het, maar niemand zegt er iets van. Ze laten het gewoon gebeuren. De jongen is aan slag. Normaal kan hij dat heel goed. Maar nu lukt het niet. Niks lukt hem meer…'

Terwijl Lucien voorleest, is het stil. Als ze klaar is, kijkt ze rond. 'Nou jongens, wie zullen we de slachtofferrol laten spelen. Eens even kijken… Dave?'

'Sorry,' zegt Dave. 'Ik blijf liever zitten, ik heb hoofdpijn.'

Lafaard, denkt Murat.

'Dan nemen we Gijs.' Maar ook Gijs staat niet op. Met een rood hoofd kijkt hij naar de grond.

'Kom op, Gijs, je gaat me toch niet vertellen dat jij ook hoofdpijn hebt?' Lucien wijst Mirjam aan. 'Jij bent degene die discrimineert en Charlotte en Tom zijn de teamgenoten die er niks van zeggen. Een mooi thema, Murat.' Lucien klapt in haar handen. 'Actie, jongens.' Maar de spelers komen niet van hun plaats. De spanning is om te snijden.

'Wat hebben jullie toch?' vraagt Lucien.

'Het gaat niet over een Surinaamse jongen,' zegt Gijs. 'Het gaat over Murat.'

'En de lafaards die niks durven te zeggen, dat zijn wij.' Ingrid begint bijna te huilen. 'Ik wilde er heus wel iets van zeggen, maar ik durfde niet.'

'Ik ook niet,' zegt Charlotte.

'Op school zou ik mijn mond wel opengedaan hebben,' zegt Tom. 'Maar hier ken ik niemand, dat is veel enger.'

Heel langzaam begint Lucien iets door te krijgen. 'Begrijp ik het goed?' vraagt ze voorzichtig. 'Is die softbalclub soms onze toneelclub?'

Ze knikken beschaamd.

Murat verwacht dat Lucien gaat vragen wie de treiterkop is. Maar ze staat op en loopt naar het toneel. 'Jullie zijn niet voor niks toneelspelers. We gaan deze situatie naspelen. Maar ik verander één ding. Van de lafaards maken we dappere kinderen die het niet pikken dat een van hun clubgenoten wordt gediscrimineerd. Murat en ik zijn benieuwd hoe dat zal gaan. Dan ga ik nu de rollen verdelen. Gijs, wil jij het slachtoffer spelen?'

'Ik was een dapper kind.' Mirjam rent naar voren. De meesten hebben er zin in. Alleen Dave blijft zitten.

'Nou, Dave,' zegt Lucien, 'jij bent de enige die over is. Dat komt goed uit, want we hebben nog geen treiterkop.'

'Dat ga ik niet doen, hoor,' zegt Dave.

Nu wordt Gijs kwaad. 'Wat ben jij een schijterd, zeg. Ineens durf je niet meer te discrimineren, alleen maar omdat Lucien erbij is.'

'Ja,' zegt Mirjam. 'Anders heb je er geen moeite mee om gemene dingen te zeggen.'

'Ik ben helemaal geen schijterd,' zegt Dave. 'Ik durf best hardop te zeggen dat ik niet met een Turk in een toneelstuk wil.'

Charlotte vliegt op. 'Oh nee, wil je dat niet? Dan hoepel je maar op.'

'Ja,' zegt Tom. 'Ik wil niet met een racist in een toneelstuk, dus dat is makkelijk.'

Nu barsten de emoties los. Ze beginnen met zijn allen tegen Dave te schreeuwen.

Dave kijkt schuw om zich heen: ze zijn echt kwaad op hem.

'Wegwezen!' Mirjam zet het in en dan valt iedereen haar bij. 'WEGWEZEN… WEGWEZEN…'

Met een rood hoofd loopt Dave naar de deur.

'Nee!' schreeuwt Murat. 'Ik wil niet dat je weggaat.'

Het wordt doodstil. Iedereen kijkt verbaasd naar Murat.

Dave draait zich om. 'Alsof jij hier de baas bent.'

'Nee,' zegt Lucien. 'Dat ben ik. En ik vind dat je moet vertrekken. Iemand met zulke ideeën hoort hier niet. Maar als Murat jou nog een kans wil geven, mag het van mij.'

'Alsof hij dat meent.' En Dave schreeuwt tegen Murat: 'Heb je nou je zin? Je hebt alles voor me verpest.'

'Je vergist je,' zegt Murat. 'Ik wil echt dat je blijft. Als je me tenminste een kans geeft om te laten zien wie ik ben. Dan kom je erachter dat Turken helemaal niet alles willen inpikken. Dat je best vrienden met ze kan worden.' Murats stem slaat over. 'Snap je dat dan niet!' schreeuwt hij. 'Ik wil dat je blijft, stommerd.'

Het is duidelijk aan Dave te zien dat hij niet weet wat hij ervan moet denken.

'Je hoort het, Dave,' zegt Lucien. 'Murat wil je nog een kans geven. Als ik jou was, zou ik die grijpen.'

Nu dringt het tot Dave door dat hij mag blijven en dat hij dat aan Murat te danken heeft. Van de zenuwen schiet hij in de lach. 'Je bent wel een mafkees.'

'Een mafkees mag je me best noemen, maar geen vieze Turk.' Murat kijkt naar Dave. Er komt een lachje om Daves mond. Maar dit keer geen vals lachje.

'Je mag wel eens sorry zeggen,' zegt Tom.

Maar dat hoeft al niet meer van Murat. Hij heeft aan Dave gezien dat hij er spijt van heeft.

Murat lijkt kalm, maar vanbinnen voelt hij de overwinning. De grootste overwinning die hij ooit behaald heeft. Nu kan ik alles aan, denkt hij. Nu durf ik verkering aan Katja te vragen.

De hoofdrol

Het is duidelijk te merken dat Murat zijn probleem heeft opgelost. Hij zit fluitend op de fiets en dat is een tijd niet gebeurd.

Ineens schiet hij in de lach. Hij fluit ongemerkt *Lang zal ze leven…* Dat komt natuurlijk door Katja. Hij hoopt dat het een leuke verjaardag wordt. De laatste dagen was ze zo somber. Als hij de hoek om fietst, ziet hij Katja's huis al. Luid bellend rijdt hij het tuinpad op.

'Gefeliciteerd!' roept hij als Katja de deur opendoet.

'En jij ook, met onze actie.' Katja houdt de krant op.

'We staan erin!' Murat bekijkt de krant. 'Wauw, wat een grote foto.'

'Als de toneelschool niks wordt, kun je altijd nog fotomodel worden,' zegt Katja.

'Jaja,' zegt Murat. 'Jij staat er gaaf op. Maar moet je mij nou zien met dat stomme lachje.'

'Een sexy lachje zul je bedoelen.'

Murat wordt verlegen. 'Wat heb je gekregen?' vraagt hij gauw.

'Ik krijg mijn cadeau vanmiddag,' zegt Katja.

'Dan pas?'

'Ik snap er ook niet veel van,' zegt Katja. 'Mijn ouders deden heel geheimzinnig. Er moest nog iets mee gebeuren, zeiden ze. Daarom zijn ze er nu niet.' Katja

haalt een schilderij van boven. 'Moet je zien wat ik gemaakt heb.'

'Wat knap!' Murat schrikt als hij de afbeelding van de hond ziet. 'Het is hem precies. Met dat treurige kopje en die vragende ogen... Word je er niet bedroefd van?'

'Juist niet, zo kan ik nog af en toe naar hem kijken. We hadden gewoon iets samen, iets heel speciaals.'

Murat merkt dat Katja moeite doet om zich flink te houden. Wat is het toch ingewikkeld, denkt hij. Nu is hij vrolijk en Katja weer verdrietig.

'Is het goed dat Katja komt kijken?' vraagt Murat als ze de repetitieruimte inkomen.

'Prima, ga maar lekker zitten, Katja.' Lucien kijkt de spelers aan. 'Dit wordt een belangrijke ochtend. We gaan de rollen verdelen.'

Murat verbleekt. Als hij dat had geweten, had hij Katja niet meegenomen.

'We beginnen met de hoofdrol,' zegt Lucien. 'Ik neem aan dat jullie thuis aan de tekst hebben gewerkt. We nemen het tweede bedrijf, als Joey besluit weg te lopen. Gijs, wil jij een poging wagen?'

'Mij best.' Een beetje nonchalant stapt Gijs het toneel op.

Hij speelt de rol best aardig, maar Murat denkt dat Dave het beter kan.

'Bedankt,' zegt Lucien. 'Dave, ben jij zover?'

Zie je wel, denkt Murat als Dave begint te spelen, zo moet het. Hij vindt Daves spel veel krachtiger dan dat van Gijs.

'Mooi, Dave,' zegt Lucien. 'Ik kan merken dat je eraan hebt gewerkt. Murat, waag jij ook maar een poging.' Zo te horen verwacht ze er niet veel van. Maar dat verbaast Murat niet. Tot nu toe heeft hij nog niks gepresteerd.

Murat loopt naar voren. Hij is bang voor de volgende afgang. De pesterijen van Dave hebben hem zo onzeker gemaakt.

'Klaar?'

Murat probeert zich te concentreren. Als hij het toneel op stapt, ziet hij Katja zitten. Haar ogen stralen, net als toen in de aula op school. In zijn hoofd hoort Murat het applaus en het gefluit van de achtste-groepers. Langzaam voelt hij zijn vertrouwen terugkomen. Als hij de eerste zin zegt, is hij overtuigd. Het gaat lukken!

Toen Gijs en Dave speelden, hoorde je af en toe gefluister. Maar nu is iedereen doodstil. Ze kijken ademloos naar Murat die de scène achter elkaar doorspeelt. Als hij klaar is, begint iedereen te klappen. Zelfs Dave klapt mee.

'Sterk,' zegt Lucien. 'IJzersterk, Murat, en vooral heel gevoelig. Tom?' vraagt ze dan.

Maar Tom is niet geïnteresseerd in de rol van Joey.

Murat loopt naar zijn plaats. Hij heeft het gevoel dat hij zweeft. Als hij naast Katja gaat zitten, knijpt ze zachtjes in zijn arm. 'Je hebt hem, wedden?' fluistert ze.

Murat kijkt vol spanning naar Lucien.

'Nou, jongens, ik denk dat dit voor iedereen duidelijk is.' Lucien kijkt Murat aan. 'En? Accepteer je de hoofdrol?'

Op de fiets durft Murat pas te juichen. 'Het is gelukt, ik heb de hoofdrol gekregen!' Van blijdschap rijdt hij met losse handen het kruispunt over.

'Kanjer!' Katja is ook blij voor hem. 'Ik wist het wel,' zegt ze als ze voor een stoplicht staan.

Nu ga ik verkering aan haar vragen. Murat kijkt Katja aan. 'Ik moet je iets vragen…' Op hetzelfde moment beginnen de auto's achter hen te toeteren.

'Wat?' Door het lawaai heeft Katja hem niet verstaan. Murat wacht tot ze de weg over zijn. Net als hij verkering wil vragen, neemt Katja een sprint.

'Nu wil ik wel eens weten wat ik krijg.' En ze crost de Wilgenlaan in. 'Ja, de auto staat er!' Ze kan haar nieuwsgierigheid niet langer bedwingen, racet het tuinpad op, zet haar fiets neer en rent naar binnen. 'Hebben jullie mijn cadeau al?'

Katja's ouders lachen geheimzinnig. 'Je cadeau is er,' zegt haar moeder. 'Maar je moet niet schrikken. Het ziet er nog een beetje gehavend uit. Maar het komt helemaal goed.'

Wat kan dat nou zijn? Katja kijkt haar vader aan, maar die verraadt ook niks.

'Ik zal je een hint geven,' zegt haar moeder. 'Je cadeau is nog onder narcose.'

Nu krijgt Katja iets door. 'Is het een dier?'

Haar ouders knikken. 'Een dier dat je heel graag wilde hebben.'

'Krijg ik een hond?'

'Ja.'

'Hoera! Wat een schatten zijn jullie!' Katja valt haar ouders om de hals. 'Jullie hebben vanochtend stiekem een hond uit het asiel gehaald.'

'Niet uit het asiel,' zegt haar moeder. 'Murat heeft me een beetje geholpen. Hij wees me op een advertentie in de supermarkt.'

'Nee?' roept Katja uit. 'Dat kan niet waar zijn. Is het…' Ze kijkt Murat aan.

Maar Murat durft het ook niet te geloven.

'Waar is hij dan?' vraagt Katja.

'De dierenarts zei dat we hem het beste op een donkere plek konden laten bijkomen,' zegt haar moeder. 'Hij ligt in de bijkeuken in zijn mand.'

Katja rent naar de bijkeuken. Ze doet de deur voorzichtig open en dan ziet ze de mand staan.

'Je bent het…' fluistert ze. 'Je bent het echt.' Ze kust het slapende hondenkopje.

De hond jankt zachtjes.

'Hij heeft pijn.' Katja kijkt haar moeder bezorgd aan.

'Hij is in de war van de narcose. Die wonden waren zo diep, dat de dokter hem in slaap moest maken om ze te verzorgen. Hij heeft ze moeten hechten.'

Katja legt haar wang tegen de hond aan. 'Nu komt alles goed met je. Nu hoef je niet meer aan een ketting en je hoeft nooit meer in zo'n stom hok.'

'Wat denken jullie van een stukje taart?' vraagt Katja's moeder.

Maar Katja piekert er niet over bij haar hond weg te gaan. 'Slaap maar lekker,' fluistert ze. 'Ik blijf net zolang bij je tot je wakker bent.'

Murat gaat naast haar zitten. Hij heeft Katja nog nooit zo gelukkig gezien.

Ineens pakt Katja Murats hand. 'Fijn hè, dat alles goed gekomen is. De hond en onze actie. En volgens mij gaat het met je neef ook goed.'

'Super,' zegt Murat. 'Hij heeft zijn probleem helemaal opgelost.'

'Ik ben zo blij voor hem,' zegt Katja. 'En ook voor dat meisje.'

'Welk meisje bedoel je?' vraagt Murat.

'Dat meisje met wie hij al heel lang bevriend is. En die hij toch niet in vertrouwen durfde te nemen.' Er komt een brutale glimlach op haar gezicht. 'Ja, dat had jij niet gedacht, hè? Maar ik ken dat meisje toevallig heel goed. Ze is vandaag jarig. En weet je wat zo grappig is? Ze valt op stoere softballers...' Katja slaat twee armen om Murat heen. 'Wil je verkering met me?'

Anders zou Murat zich doodschamen dat Katja achter zijn verzinsel was gekomen, maar nu kan het hem niets schelen. Hij kan maar aan één ding denken: Ze is ook verliefd op mij...

'Natuurlijk wil ik verkering met jou.' Murat buigt zijn hoofd naar haar toe. Op het moment dat ze willen kussen, beweegt er naast hen iets.

'Je bent wakker...' Katja kijkt stralend naar de hond die zijn slaperige kopje naar haar opheft. 'Kom maar,' zegt ze. 'Jij mag er ook bij.' En dan houdt ze haar gezicht vlak bij Murat. 'Hij mag heus wel zien hoe wij zoenen. Dat zal hij nog wel vaker zien. Tenminste...' Ze prikt met haar vinger in Murats buik. '...als jij niet steeds moet softballen.'

Over Carry Slee

Carry Slee werd geboren in Amsterdam. Toen ze nog niet kon schrijven, bedacht ze verhaaltjes voor haar knuffeldieren. Ze zette haar knuffels in een kring en las voor uit eigen werk. Op de lagere school had ze een schrift waarin ze korte verhalen en gedichten schreef.

Later gaf ze dramalessen in het middelbaar onderwijs. Het kwam toen goed uit dat ze al veel geschreven had, want samen met haar leerlingen bedacht ze verhalen waar ze daarna toneelstukken van maakte. Die werden, vaak met groot succes, opgevoerd door de leerlingen.

Carry heeft twee dochters, Nadja (1980) en Masja (1983), die haar grootste inspiratiebron vormen.

Carry schrijft voor kinderen van alle leeftijden. Soms over dingen die echt gebeurd zijn; soms zijn de verhalen verzonnen. De situaties zijn heel herkenbaar en de lezer leeft echt met de hoofdpersoon mee. Haar boeken zijn altijd spannend en zo geschreven dat je ze in één keer uit wilt lezen.

Carry Slee schrijft ook over moeilijke onderwerpen. Maar door haar humoristische en luchtige stijl worden haar boeken nooit te zwaar. Ze schrijft eerlijk over het feit dat ouders twijfelen en niet altijd op iedere vraag een antwoord weten. Zo probeert ze kinderen te leren om problemen op een creatieve en fantasierijke manier op te lossen.

Op de volgende bladzijde zie je welke boeken Carry Slee geschreven heeft.

Voor de kleintjes schreef Carry Slee heel veel smalle boekjes over de tweeling Iris en Michiel. Over *De kinderen van de Grote beer* zijn al 7 delen verschenen. En de serie *Kwispelstaartjes* telt inmiddels 3 deeltjes.

Vanaf 7 jaar:
Het drakepad
Kaatje Knal en de biefstukbende
De smoezenkampioen
Ridder Schijtebroek **Bekroond Kinderjury 1995**
Meester Paardenpoep **Bekroond Kinderjury 1999**
Markies Kattenpies

Vanaf 9 jaar:
Verdriet met mayonaise **Bekroond Kinderjury 1992**
Confetti conflict **Bekroond Kinderjury 1994**
Kilometers cola en knetterende ruzie
Getipt Kinderjury 1995
Geklutste geheimen met strafwerk toe
Getipt Kinderjury 1996

Vanaf 12 jaar:
Spijt! **Bekroond Kinderjury 1997 en Jonge jury 1998**
Pijnstillers **Bekroond Kinderjury 1998 en Jonge jury 1999**
Afblijven **Bekroond Kinderjury 1999**
Kappen